W9-CTA-686

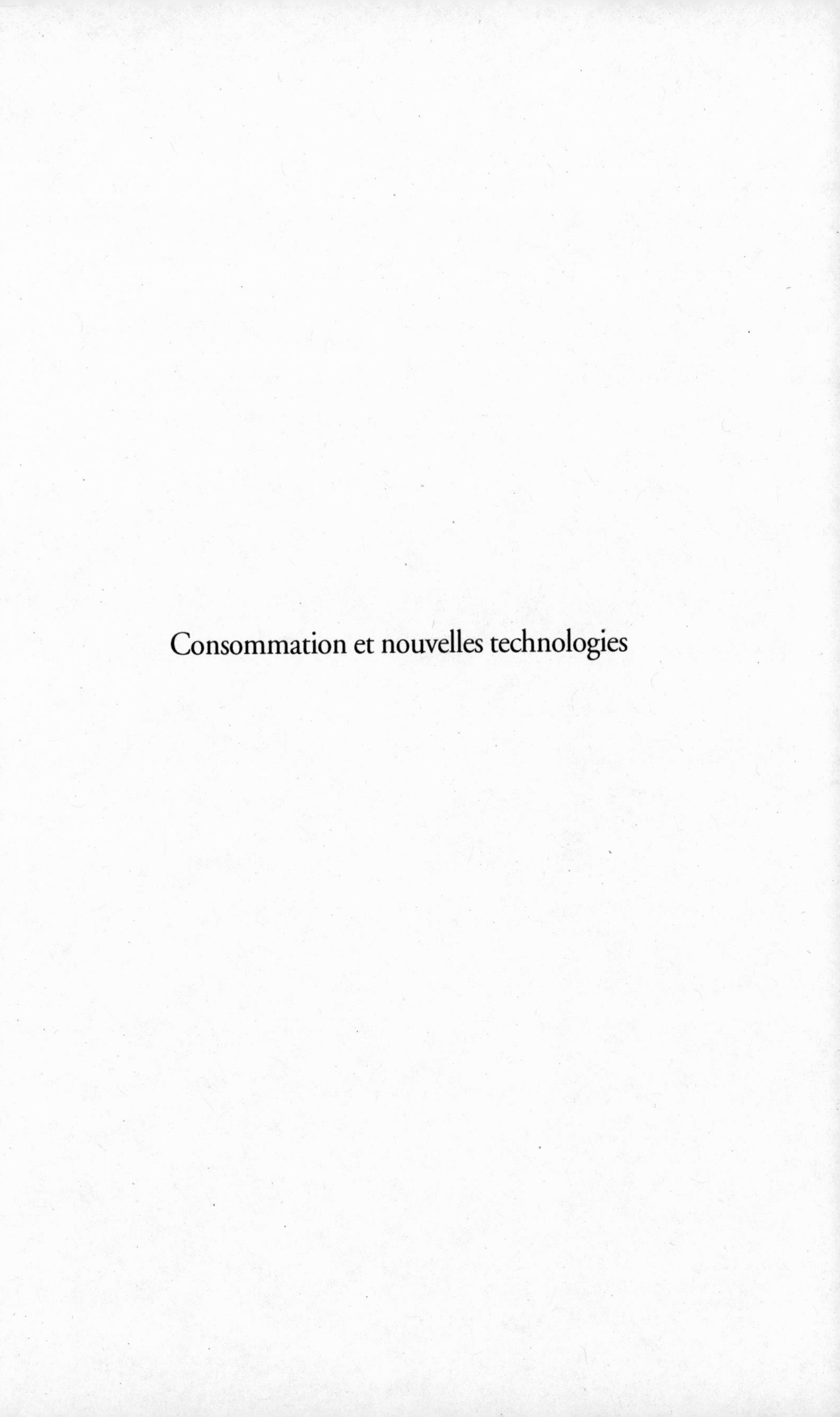

Consommation et nouvelles technologies

Benoit Duguay

Consommation et nouvelles technologies

Au monde de l'hyper

Liber

Les éditions Liber reçoivent des subventions du Conseil des arts du Canada, du ministère du Patrimoine canadien (PADIE), de la SODEC (programme d'aide à l'édition), et participent au programme de crédit d'impôt-Gestion SODEC pour l'édition de livres du gouvernement du Québec.

Maquette de la couverture : Zone verte design

Photo de la couverture : *Connect Planet Earth*, KTSimage, IStock

Dépôt légal : 4e trimestre 2009

Bibliothèque et archives nationales du Québec

ISBN 978-2-89578-196-7

À Danièle

Introduction

Les nouvelles technologies ont pris une place centrale dans nos sociétés. Les ordinateurs, seuls ou intégrés dans toutes sortes de machines et d'appareils (y compris notre corps), l'internet, les téléphones portables, les lecteurs de musique, etc., nous occupent certes quand on les fabrique et quand on les utilise, mais ils meublent aussi souvent l'essentiel de nos conversations. Ce ne sont plus seulement des créatures de la technologie et des biens disponibles sur le marché, mais aussi des pièces de notre culture et de notre imaginaire. Ces technologies ont transformé l'économie et le rapport au travail et reconfiguré nos relations, qui sont tour à tour et tout à la fois virtuelles, mondiales, instantanées, éphémères, superficielles, etc., pour le meilleur — affranchissement des tâches ingrates, circulation de l'information et des connaissances, aide à la pratique démocratique — et pour le pire — accroissement de la fracture technologique, individualisme et égoïsme, dépendance, consommation fébrile. Dans cet ouvrage, je voudrais décrire ce paysage, en retracer l'histoire et la dynamique, en faire ressortir les traits dominants en particulier dans leur rapport à la consommation.

Il ne fait pas de doute que nous sommes dans une civilisation technicienne, que Lewis Mumford disait « machiniste » dans sa monumentale histoire de la technique : « D'autres civilisations atteignirent un haut degré de perfectionnement technique sans paraître avoir été profondément influencées par les méthodes et les buts de la technique. Tous les instruments critiques de la technologie moderne : la pendule, la presse à imprimer, la roue hydraulique, le compas magnétique, le métier à tisser, le tour, la poudre à canon, le papier — pour ne rien dire des mathématiques, de la chimie et de la mécanique —, existaient dans d'autres cultures. Les Chinois, les Arabes, les Grecs, bien avant les Européens du Nord, avaient accompli les premiers pas vers la machine. Bien que les grands travaux des Crétois, des Égyptiens et des Romains aient été effectués sur des bases presque totalement empiriques, il est évident que ces peuples possédaient une grande habileté technique. Ils avaient des machines, mais ils ne développèrent pas "la machine"[1]. » Et c'est également en termes de civilisation technique que Jacques Ellul caractérisait déjà le vingtième siècle il y a plusieurs années. Il faut bien comprendre cependant que, pour lui, la technique ne se limite pas à la machine, qui n'en est que la manifestation la plus visible; la définition qu'il en donne met en présence deux concepts, l'*opération* et le *phénomène*. « L'opération technique recouvre tout travail fait avec une certaine méthode pour atteindre un résultat. Et ceci peut être aussi élémentaire que le travail d'éclatement des silex et aussi complexe que la mise au point d'un cerveau électronique[2]. » L'*opération* technique fait intervenir la conscience et la raison, engendrant ainsi le *phénomène* technique. Qu'est-ce à dire?

Bien souvent intuitivement, l'homme expérimente différentes méthodes et crée des outils pour effectuer un travail; ce faisant, il fait appel aux exemples qu'il trouve soit dans la nature, soit dans les outils existants. Cette façon de procéder est rudimentaire et souvent peu efficace, voire carrément impraticable: « [On] a depuis longtemps remarqué que les réalisations qui se bornent à copier la nature sont sans avenir (l'aile de l'oiseau reproduite depuis Icare jusqu'à Ader)[3]. » C'est la raison qui, conduisant à une expérimentation plus systématique. permet d'améliorer l'outil. Elle fait intervenir la notion d'efficacité: de toutes les méthodes et de tous les outils on retient les plus *efficaces*. C'est ainsi que les ordinateurs personnels, au-delà de l'usage de l'ancien

1. L. Mumford, *Technique et civilisation*, Paris, Seuil, 1950, p. 16. L'expression « la machine » désigne le complexe technologique tout entier, c'est-à-dire la connaissance, le talent et les arts dérivés de l'industrie ou impliqués dans les techniques nouvelles, et comprend les diverses formes d'outils, instruments, appareils et utilités aussi bien que les machines proprement dites (p. 21-22).

2. J. Ellul, *La technique ou l'enjeu du siècle*, Paris, Economica, 1990, p. 17.

3. *Ibid.*, p. 18.

clavier de la machine à écrire, ont acquis une interface graphique utilisable avec un dispositif de pointage communément appelé « souris », puis un pavé et un écran tactiles et enfin une interface vocale. Ne reste plus que l'interface neuronale, avec ou sans fils, qui en est déjà au stade de l'exploitation spécialisée à petite échelle. La raison engendre en outre le même désir d'efficacité pour d'autres travaux; cette prise de conscience, étendue à l'échelle d'une société, voilà ce qu'Ellul appelle le *phénomène* technique: « Le phénomène technique est donc la préoccupation de l'immense majorité des hommes de notre temps, de rechercher en toutes choses la méthode absolument la plus efficace. » Ce phénomène donne naissance à une civilisation technique reposant sur une science des techniques, qui, chez Ellul, dépasse le strict domaine technologique proprement dit pour déterminer l'économie, l'organisation et l'homme lui-même.

Le champ d'application de la technique *économique* englobe toutes les activités liées à la production, de la planification à l'exécution. De nos jours, pensons à la conception et à la fabrication assistées par ordinateur, à la planification des ressources de l'entreprise avec des progiciels de gestion intégrée (*enterprise resource planning*, ERP, en anglais), aux applications de bureautique pour le travail de nature administrative et à l'exécution des ordres de placement sur les grandes places boursières. Puisque la production a toujours été dépendante de la disponibilité d'investissements privés importants, la technique économique est subordonnée au monde de la finance. Or, depuis de nombreuses années, le monde financier est enfermé dans un paradigme de cupidité, alimenté par des spéculateurs et des investisseurs peu soucieux des intérêts de toutes les parties prenantes d'une entreprise, ceux que les Anglo-Saxons appellent les *stakeholders*, c'est-à-dire tous ceux qui ont un intérêt dans une organisation. Cela exerce une influence majeure et négative sur l'exploitation des entreprises et donc sur toutes les activités liées à la production.

La technique de l'*organisation*, elle, vise la gouverne des grandes masses; à ce titre, son champ d'application comprend aussi bien les États que les entreprises multinationales. Ni les entreprises ni les États ne pourraient fonctionner sans l'apport des techniques de l'organisation. Pensons à l'organisation du travail en usine, par exemple à l'invention de la chaîne de montage par Ransom E. Olds et de la chaîne de montage *mobile* par Henry Ford. Pensons aux innombrables systèmes que doivent mettre en place les États pour assurer l'éducation et la santé publiques, maintenir l'ordre, administrer la justice, organiser la défense nationale, protéger et développer l'économie et, parfois aussi, pour détruire.

Quant aux techniques de l'*homme*, ou moyens d'action *sur* l'homme, ils doivent, selon Ellul, répondre à trois critères : la *généralité*, c'est-à-dire l'universalité de l'application, à tous et dans tous les domaines, l'*objectivité*, la possibilité d'être utilisés par tous, et la *permanence*, à savoir une action psychique dont l'effet se fait sentir « sans lacune du début de son existence [celle de l'homme] à sa fin ». Ces moyens d'action sont au nombre de sept : la technique de l'école, celle du travail, l'orientation professionnelle, la propagande, le divertissement, le sport et la médecine, cette dernière incluant la chirurgie[4].

Ce n'est pas notre intention d'approfondir ni de critiquer la vaste interprétation que propose Ellul. Il nous suffit de noter avec lui que la dépendance de l'homme à l'égard de la technique, si elle a toujours existé, est aujourd'hui plus décisive que jamais. Mais en quels termes faut-il l'envisager ?

Les fouilles archéologiques démontrent que, dès l'aube des temps, le développement technologique était étroitement lié à la survie ; on pourrait donc qualifier de *fonctionnelles* les *attentes* dominantes des premiers hommes à l'égard des outils rudimentaires qu'ils ont inventés[5]. Par là je veux dire que ces outils devaient remplir efficacement une fonction particulière ; par exemple, la lance avec une pointe en silex devait permettre au chasseur de tuer sa proie avant d'être lui-même dévoré. Il y a cependant lieu de croire que d'autres types d'attentes, *symboliques* par exemple, pouvaient également exister ; comment expliquer la décoration sur la lance, sinon comme un symbole conférant un statut ou un pouvoir au chasseur ? On peut donc dire que le développement technologique se faisait alors *principalement* selon un paradigme de *nécessité*.

Or, de toute évidence, tel n'est pas le cas actuellement dans notre société d'hyperconsommation ; le développement technologique est aujourd'hui essentiellement dicté par des considérations commerciales,

4. *Ibid.*, p. 309 et 312-351.

5. À propos du concept d'attente, voir B. Duguay, *Consommation et image de soi. Dis-moi ce que tu achètes…*, Montréal, Liber, 2005, et *Consommation et luxe. La voie de l'excès et de l'illusion*, Montréal, Liber, 2007.

en tout premier lieu la nécessité pour les fabricants de différencier leurs produits de ceux de leurs concurrents. L'iPhone 3G, lancé au Canada en juillet 2008, en est un exemple éloquent. Loin de moi l'idée de dénigrer ce gadget qui de toute évidence plaît à un segment de marché bien précis; sinon, comment expliquer, lors de son lancement, les files d'attente interminables devant les magasins pour avoir le privilège d'être parmi les premiers à posséder cette merveille? Son design satisfait indubitablement des attentes *esthétiques* et ses nombreuses fonctions, trop nombreuses en fait pour l'utilisateur moyen, permettent à ses usagers d'en justifier l'achat sur le plan utilitaire (attentes *fonctionnelles*). La question n'est pas là. Le principal attrait du iPhone tient à l'image, au mythe devrais-je dire, qu'Apple a développée autour de celui-ci, comme autour de ses autres produits, l'iPod, par exemple; comme ce dernier, l'iPhone est un objet culte, un symbole de statut (attentes *symboliques*), voire, pour certaines personnes, une possession qui leur permet de rehausser une estime de soi un peu faible (attentes *imaginaires*). L'image de l'iPhone, comme celle de produits concurrents, tels le Touch Diamond (HTC) et l'Omnia (Samsung), offrant un design, des caractéristiques et des fonctionnalités très similaires, permet à Apple, HTC et Samsung de vendre leurs produits plus cher que d'autres produits de leurs gammes respectives, car les amateurs de ces gadgets sont moins sensibles au prix, pourvu que celui-ci demeure dans une gamme dont on a sans aucun doute établi les limites (attentes *financières*). On peut donc dire que le développement technologique se fait aujourd'hui selon un paradigme d'*échange marchand.* Qui plus est ce paradigme est également mercantile, il repose sur la cupidité, la recherche de profits excessifs, bien souvent sans égard pour la qualité et la durabilité du produit, les clients et les employés.

Sous une forme ou sous une autre, tout comme la technique, la consommation a toujours existé. Certes, on peut penser que l'homme des cavernes pouvait subvenir à toutes les nécessités de la vie — boire et manger, se vêtir et se prémunir contre les éléments — sans faire appel à qui que ce soit, sans même faire du troc avec ses semblables. Mais on se dit également que, au bout d'un certain temps, il a sans doute compris que tout faire seul était à la fois fatigant et ennuyeux; manger de l'ours pendant deux mois parce que celui qu'on a abattu faisait trois cents kilos peut devenir monotone alors qu'il est si simple d'en troquer quelques dizaines de kilos contre un peu d'élan que le voisin de caverne a tué de son côté. Cela fait de la variété à table et de la conversation avec ses semblables. Voilà comment on peut imaginer le début du commerce et de la consommation.

Aujourd'hui, rares sont ceux qui subviennent seuls à ce que nous appelons nos *besoins*. Il est vrai que certains confectionnent leurs vêtements, d'autres cultivent un potager ou élèvent des lapins, quelques-uns chassent le chevreuil ou le canard sauvage, plusieurs vont à la pêche; on en voit même qui fabriquent des meubles et qui assemblent leur propre ordinateur. Je n'ai en revanche jamais entendu parler de quelqu'un ayant réussi à fabriquer soi-même et sans outillage spécialisé le processeur sans lequel aucun ordinateur ne peut fonctionner; en fait, sauf à mener une vie spartiate recluse au fin fond des bois que même les plus convaincus défenseurs de la simplicité volontaire ne voudraient pas, personne ne peut subvenir seul à toutes les nécessités de la vie. Hier comme aujourd'hui, on ne peut pas ne pas consommer, c'est-à-dire s'adresser au marché pour acquérir des choses que requiert notre bien-être, voire notre simple survie. La consommation est en somme un acte essentiel. Elle est également essentielle sur le plan collectif — rappelons-nous les nombreux responsables politiques et représentants du monde des affaires qui ont incité les populations à reprendre leur consommation au paroxysme de la crise économique récente.

La consommation n'est pas seulement indispensable, c'est également une activité agréable, parfois ludique, source d'un plaisir que certains, il est vrai, s'autorisent à l'excès au point de crouler sous un endettement si démesuré qu'ils deviennent incapables de faire face à leurs obligations financières. C'est évidemment dramatique, tant sur le plan personnel que sur le plan collectif — cela a constitué un des principaux facteurs qui ont entraîné le monde dans la crise.

La technologie aussi a envahi nos vies. Plusieurs diront qu'elle a libéré l'homme. Vu sous un certain angle, c'est rigoureusement exact. Pensons aux corvées ménagères grandement facilitées par toutes sortes d'appareils électroménagers. Elle a aussi permis à l'homme d'exprimer plus aisément sa créativité; par exemple, des logiciels pas très chers permettent désormais à des personnes dont l'aptitude pour le dessin est limitée de créer des présentations et des sites web dont les illustrations rivalisent avec celles réalisées à main levée par un dessinateur professionnel avant l'ère de la micro-informatique. En conférant une grande liberté de mouvement à la classe moyenne, les véhicules automobiles ont permis le développement de l'Amérique du Nord telle que nous la connaissons aujourd'hui. Un transport aérien rapide et relativement bon marché a rapproché les continents et permis à des personnes disposant de revenus moyens de découvrir des contrées aussi exotiques que lointaines, un privilège autrefois réservé à une élite.

La technologie n'a cependant pas produit que des effets bénéfiques. Outre le fait d'exacerber l'individualisme, voire l'égoïsme, elle a paradoxalement aussi induit une forme de dépendance, parfois même de ce qui s'apparente presque à l'esclavage. Pensons aux millions de personnes qui, les yeux rivés à un écran, alignent jour après jour, dans bien des cas nuit après nuit, des milliers de lignes de codes pour apprendre aux ordinateurs comment traiter des quantités colossales d'information. Plus simplement, rappelons-nous notre désarroi lorsque notre ordinateur personnel tombe en panne. Et puis la technologie a contribué à élargir l'écart entre nations riches et nations pauvres, favorisés et défavorisés, bref elle a créé un fossé numérique.

Dans cet ouvrage, nous nous pencherons sur la place de la technologie dans l'évolution de nos sociétés et sur son rôle dans l'émergence de la société d'*hyperconsommation.* Nous dirons que ce rôle est à la fois direct, parce que le développement technologique a multiplié l'offre de produits dont sont friands les consommateurs, et indirect, parce que les nouvelles technologies ont transformé les secteurs de la production, du commerce et de la finance. Elles ont ainsi permis d'abaisser le coût de production, de créer un nouveau réseau de distribution en ligne, de concevoir des produits financiers dérivés. Bien entendu, il n'y a rien de mal dans ces progrès technologiques; c'est la nature humaine qui détermine l'usage positif ou négatif qu'on en fait. La réduction des coûts de production aurait pu être mise à profit pour réduire les prix, permettant l'accès d'un plus grand nombre aux produits; la cupidité humaine y a plutôt vu l'occasion d'augmenter la profitabilité des entreprises, après avoir bien sûr ajouté quelques fonctionnalités aux produits dans le but de les différencier des produits concurrents.

Nous n'avons pas voulu brosser ici un simple bilan historique des différentes technologies; bien sûr, nous en présentons l'évolution, mais en démontrant leur lien avec la consommation. Notre intention n'est pas de faire une énumération *de toutes les versions* et *de tous les usages* des nouvelles technologies; nous entendons simplement en décrire l'explosion avec suffisamment de précision pour qu'on mesure la place qu'elles ont fini par occuper dans nos sociétés. On ne trouvera pas non plus ici une critique acerbe de la technologie en général ; d'autres avant nous se sont chargés d'en diaboliser l'usage. Comme dans nos autres travaux, notre critique est modérée et constructive. Nous cherchons à présenter les avantages de la technologie tout autant que les dérives qu'elle peut entraîner, à démontrer le lien étroit entre consommation et technologie, et à expliquer pourquoi *hyperconsommation* et *hypertechnicisation* de notre monde vont de pair.

Ce livre n'aurait pas vu le jour sans la collaboration de nombreuses personnes. Je ne peux les nommer toutes, mais qu'elles sachent du moins que je leur témoigne ici ma profonde gratitude. Je remercie tout spécialement les éditions Liber pour l'accueil qu'elles me réservent depuis le début. Je ne peux passer sous silence la contribution de mon fils Mathieu, qui, ingénieur de profession, m'a aidé à clarifier plusieurs points techniques. Ma reconnaissance va également à mon comité de lecture : au Canada, mon collègue François Bédard, avec qui j'ai le plaisir de travailler à de nombreux projets ; en France, Cécile et Sébastien Pociello, dont le jugement m'est aussi important que leur amitié m'est chère. Je remercie finalement Danièle pour sa présence et son soutien constants.

Chapitre 1
L'évolution de la technologie et de la consommation

Selon Lewis Mumford, dont l'ouvrage classique *Technique et civilisation* brosse un riche et sensible tableau encyclopédique de l'histoire de la technique depuis les balbutiements de l'humanité jusqu'au milieu du vingtième siècle, entre le début du second millénaire et notre époque, la technologie a traversé trois phases distinctes: « C'est le professeur Patrick Geddes qui démontra pour la première fois, il y a une génération, que la civilisation industrielle n'est pas un ensemble unique, mais qu'elle a deux phases marquées et contrastées. En définissant les phases paléotechnique et néotechnique, il négligeait cependant une importante période de préparation au cours de laquelle toutes les inventions-clés furent trouvées ou pressenties. Aussi, pour continuer la comparaison paléontologique qu'il employait, j'appellerai phase éotechnique la première période: l'aube de la technique moderne[1]. »

1. L. Mumford, *Technique et civilisation*, trad. D. Moutonnier, Paris, Seuil, 1950, p. 105 (*Technics and Civilization*, New York, Harcourt, Brace & World, 1934).

Les premiers pas de la technologie moderne

Le complexe technologique de la phase *éotechnique*[2], qui s'étend globalement du onzième siècle au milieu du dix-huitième siècle, est fondé sur l'utilisation de l'eau, du vent et du bois. L'eau et le vent ont fourni l'énergie nécessaire à la production, remplaçant graduellement le cheval, héritage du millénaire précédent. Quant au bois, même si, à cette époque, des métaux sont utilisés dans la fabrication d'outils et de quelques pièces de certaines machines, c'est la matière première la plus utilisée. De nombreuses inventions remontant à cette époque sont encore en usage aujourd'hui ; pensons entre autres à celle des caractères d'imprimerie mobiles au début du deuxième millénaire, suivie de celle de l'imprimerie moderne quatre siècles plus tard, à celle de la turbine à vent, ancêtre des éoliennes modernes, et à celle du chemin de fer. Quatre technologies ont été particulièrement marquantes non seulement pour la phase éotechnique, mais pour celles qui ont suivi jusqu'à aujourd'hui : l'horloge, le verre, la presse à imprimer et le haut-fourneau.

L'horloge mécanique est l'invention qui, au treizième siècle, a inauguré le paradigme machiniste ; l'utilisation de cet instrument technologique engendre en même temps une restructuration de l'espace et du temps, qui prend naissance dans la vie ordonnée des monastères. Vivant dans un espace clos, à l'abri des influences et, dans une certaine mesure, des agressions extérieures, les moines vivent au rythme d'une vie disciplinée, ordonnée par des dévotions prescrites à des heures précises : « On n'altère donc pas les faits en suggérant que les monastères contribuèrent à donner aux entreprises humaines le rythme régulier et collectif de la machine[3]. » Dans le monastère, on voit déjà se dessiner l'usine de l'ère industrielle, les chaînes de production et l'horaire de travail régi par des horloges poinçonneuses, des pratiques encore en vigueur aujourd'hui. Quant à l'instrument lui-même, il fait appel à des technologies de plus en plus précises, pour aboutir à l'horloge atomique contemporaine, un « instrument utilisant comme référence (l'équivalent du mouvement de balancier d'une pendule traditionnelle) la fréquence du rayonnement émis lors de la transition atomique entre deux niveaux

2. *Ibid.*, chapitre 3.
3. *Ibid.*, p. 23.

d'énergie particuliers de l'atome de Césium 133. La seconde est donc définie comme 9 192 631 770 oscillations de l'isotope de Césium 133[4]. » Ce niveau de précision est requis pour mettre des satellites sur des orbites choisies ; or, l'utilisation de satellites de plus en plus sophistiqués a permis à l'humanité de faire des progrès spectaculaires, entre autres sur le plan des communications, sur celui du transport, avec les systèmes de navigation GPS, sans oublier la gestion responsable de l'environnement, puisque ce sont des satellites qui permettent par exemple de mesurer avec précision la fonte des glaces aux pôles et la progression de la déforestation, entre autres en Amazonie.

Quant au verre, pour comprendre l'impact de sa découverte et des inventions qui en ont fait usage, il faut être conscient du fait que la plupart des technologies actuelles n'existeraient pas sans lui et les procédés qui ont été développés pour le produire. Si l'on en croit certains, comme celle du feu, la découverte du verre est accidentelle ; on l'attribue à un peuple du Moyen-Orient, tantôt aux Égyptiens, tantôt aux Phéniciens, à une époque située entre 3000 et 1800 av. J.-C. Ainsi, « selon l'histoire de Pline l'Ancien le verre aurait été découvert sur une plage, près de l'embouchure du fleuve Belus. Des caravaniers (Phéniciens) auraient introduit du natre [natron] (carbonate de soude, employé pour la conservation des momies) de leur cargaison dans le brasier. Le sable et le natre auraient formé des perles de verre retrouvées, le lendemain, dans les centres du feu[5]. » D'abord utilisé pour fabriquer des récipients, des objets d'art et des bijoux, le verre transforme ensuite les immeubles à la fois en augmentant la luminosité et en mettant ceux qui y résident à l'abri des intempéries.

D'autres utilisations plus spécialisées du verre sont apparues dès le douzième siècle ; pensons aux vitraux spectaculaires auxquels les églises doivent en partie leur splendeur, voire leur atmosphère mystique. Le vitrail s'est même développé comme forme de communication, reprenant pour les fidèles l'enseignement de la Bible. Ainsi, le vitrail de la crucifixion de la cathédrale Saint-Pierre à Poitiers présente « les martyrs de Pierre et de Paul, la Crucifixion et l'Ascension. Mais un regard plus

---

4. Site du Centre national de la recherche scientifique (CNRS) : <http://www.cnrs.fr/cnrs-images/physiqueaulycee/ihatomiq.html>.

5. Site Verre Online : <http://www.verreonline.fr/v_gene/hist_01.php>. Voir aussi L. Mumford, *op. cit.*, p. 118.

attentif permet de distinguer la Résurrection, juste sous la croix : le tombeau vide présenté par l'ange sur la gauche[6]. » Le verre a donc participé à la transmission de la culture.

Le développement de l'homme ayant toujours été, et demeurant toujours, d'ailleurs, étroitement lié à la disponibilité d'une source d'énergie, le verre a permis à l'humanité d'utiliser l'énergie solaire sous deux formes : l'éclairage et le chauffage. Augmentant la luminosité et protégeant des intempéries, il a, comme le feu, prolongé « la journée de travail, par temps froid ou inclément, surtout dans le Nord[7] ». En outre, si de nos jours l'effet de serre causé par les gaz du même nom est source d'inquiétude, l'utilisation de la chaleur dans des serres vitrées a permis, dès le quatorzième siècle, pense-t-on, et permet encore de nos jours de prolonger la saison propice à l'agriculture dans les régions tempérées et même dans des régions plus froides. L'apprentissage de la fabrication du verre à base de silice ayant conduit à celle des puces au silicium, on peut affirmer que la découverte du verre a contribué à la conception de piles photovoltaïques qui permettent l'utilisation sous une troisième forme de l'énergie solaire : la production d'électricité. Ce sont entre autres ces dernières qui, encore aujourd'hui, alimentent de nombreux satellites et autres vaisseaux spatiaux.

Le verre a permis le développement des appareils d'optique. Pensons tout d'abord aux lunettes, qui ont permis de corriger la vision, favorisant ainsi la lecture et donc le développement de l'imprimerie. Pensons aussi au microscope, qui a permis d'explorer l'infiniment petit et de comprendre le rôle des pathogènes dans la maladie. Enfin, n'oublions pas le télescope, qui a dans un premier temps facilité l'exploration de la planète, permettant aux premiers navigateurs d'éviter les écueils et de distinguer de nouvelles terres impossibles à repérer à l'œil nu. Le télescope a également transformé notre compréhension de l'univers en nous permettant d'explorer l'infiniment grand ; le télescope spatial Hubble (HST), placé en orbite terrestre, « a révolutionné l'astronomie en fournissant des vues d'une profondeur et d'une clarté sans précédent de l'Univers, allant de notre propre système solaire à des galaxies extrêmement éloignées en formation peu de temps après le Big Bang il y a 13,7

6. Site du diocèse de Poitiers secteur centre : <http://www.catho-poitiers-centre.fr/dossiers/dossiers.php?val=178_vitrail+crucifixion>.

7. L. Mumford, *op. cit.*, p. 119.

milliards d'années[8] ». Le télescope spatial James Webb (JWST), dont le lancement est prévu en 2013, sera quant à lui placé sur une orbite beaucoup plus éloignée, à environ 1,5 million de kilomètres de la Terre; on espère « qu'il trouvera les premières galaxies qui se sont formées dans les premiers instants de l'Univers, reliant le Big Bang à la Voie Lactée, notre propre galaxie. Le JWST percera des nuages de poussière pour voir des étoiles formant des systèmes planétaires, reliant la Voie lactée à notre propre système solaire[9]. » Ces quelques exemples démontrent sans équivoque le rôle indispensable qu'a joué le verre dans notre développement technologique, voire même dans notre perception du monde.

La presse à imprimer est une autre invention dont l'impact est tout aussi important que celui de l'horloge et du verre. Si les caractères à imprimer mobiles sont inventés dès le onzième siècle, il faut attendre le milieu du quinzième siècle pour voir Gutenberg mettre au point l'imprimerie moderne. Cette invention a exercé une influence considérable sur l'évolution de nos sociétés, en particulier sur le plan culturel. Comme l'a soutenu McLuhan, elle a contribué à la naissance du journal et donc à l'émergence d'un public[10] dont on doit désormais tenir compte; l'inclusion de la liberté de presse dans le premier amendement de la constitution des États-Unis démontre toute l'importance de ce premier média de masse. N'oublions pas la publicité, sans laquelle la société de consommation n'aurait pas vu le jour: « À mesure que l'imprimerie se développe aux 15e et 16e siècles, les premiers pas menant à la publicité moderne sont faits. Au 17e siècle, des publicités ont commencé à apparaître dans les journaux en Angleterre et, en moins d'un siècle, la publicité est devenue très populaire[11]. » On est encore très loin de la société de consommation, car, faute de méthodes de production à grande échelle, l'offre de produits n'a pas encore explosé; en outre, la publicité, la réclame plutôt, n'est pas omniprésente.

L'imprimerie marque également la fin du monopole des copistes sur la reproduction des ouvrages. Or, ces copistes étant pour la plupart des moines, la diffusion de la connaissance se limitait le plus souvent

8. Site de la NASA: <http://hubble.nasa.gov/>.

9. *Ibid.*

10. M. McLuhan, *The Gutenberg Galaxy: The Making of Typographic Man*, Toronto, University of Toronto Press, 1962.

11. Site EconomicExpert: <http://www.economicexpert.com/a/Advertisement.htm>.

aux ordres religieux; en sortant la reproduction d'ouvrages des monastères, en multipliant le nombre d'exemplaires et en abaissant le coût de production, l'imprimerie permettra éventuellement une démocratisation du savoir. En favorisant la circulation des nouvelles idées et inventions, elle engendrera un effet de synergie contribuant ainsi à une accélération des découvertes technologiques.

La diffusion des valeurs et pratiques culturelles au-delà des frontières politiques et géographiques que permet l'imprimerie aurait pu rapprocher les peuples et les continents, abolir les distances en quelque sorte, mais elle a au contraire favorisé l'émergence du nationalisme et provoqué des guerres: «L'effet de la découverte de l'imprimerie était évident dans les guerres de religion sauvages des seizième et dix-septième siècles. L'attribution de pouvoir aux industries de la communication a accéléré la consolidation des langues vernaculaires, la montée du nationalisme, la révolution et de nouvelles flambées de barbarie au vingtième siècle[12].»

Une autre invention de la phase éotechnique, celle du haut-fourneau, est également à mentionner, même si son impact ne se fait véritablement sentir que dans la phase suivante. «En Occident, les premiers hauts-fourneaux apparaissent vraisemblablement dans la région de Liège durant la seconde moitié du XIVe siècle. Le principe est d'augmenter la taille des foyers pour accroître la production de fer. Cependant la réduction (élimination de l'oxygène) de minerais de fer mélangés au charbon de bois ne donne plus, dans les hauts-fourneaux, une masse pâteuse de fer, mais un produit fortement carburé et liquide: la "fonte". C'est la hauteur des fourneaux et l'élévation de température qui, en modifiant les réactions chimiques, ont permis l'obtention de la fonte, matériau dur et cassant une fois refroidi[13].» Le développement de l'industrie métallurgique moderne dominera les siècles suivants.

À cette époque, les conditions ne sont pas encore réunies pour voir apparaître une consommation de masse: ni les méthodes de production en grandes séries, ni les moyens de communication et de persuasion de masse, ni surtout une classe moyenne nombreuse, disposant de revenus

12. H. A. Innis, *The Bias of Communication*, Toronto, University of Toronto Press, 1951.

13. Site de l'encyclopédie Universalis: <http://www.universalis.fr/encyclopedie/Z020538/APPARITION_DES_HAUTS_FOURNEAUX.htm>.

suffisants pour alimenter la consommation. D'ailleurs, le phénomène que nous appelons consommation est inconnu à cette époque ; c'est une notion contemporaine. Il est plus juste de parler d'échanges marchands entre acheteurs et vendeurs, pour l'achat de biens essentiels le plus souvent, le peuple ne disposant pas des revenus discrétionnaires nécessaires à l'acquisition du superflu; le luxe est alors la prérogative d'un petit nombre de bourgeois et de nobles. En outre, la vie de cette période n'est pas centrée sur l'accumulation de biens, mais sur le plaisir des sens : « Le but de la civilisation éotechnique, dans son ensemble, avant la décadence du XVIIIe siècle, n'était pas d'accroître sa puissance, mais d'intensifier la vie : couleurs, parfums, images, musique, extase sexuelle, aussi bien qu'audacieux exploits, dans les armes, la pensée et l'exploration [...] renforçant le sens de la propreté, le raffinement du toucher et du goût s'étendit même à la cuisine ; les pots et les casseroles en cuivre, astiqués comme un miroir par la servante ou la ménagère industrieuses, remplacèrent les premiers pots grossiers en fer. Mais surtout, pendant cette période, l'œil fut éduqué et raffiné. Le plaisir des yeux servait à autre chose qu'à la vision rapide ; en s'attardant sur l'objet il donnait à l'observation l'occasion de mieux l'examiner. Le buveur de vin contemplait gravement la couleur de son vin avant de le boire, et l'amant faisait une cour à la fois plus intense et plus prolongée, le plaisir de contempler l'aimée retardait un moment le plaisir de la possession[14]. »

On est bien loin du désir à la fois frénétique et immédiat qui caractérise la consommation d'aujourd'hui. Néanmoins, les technologies sont déjà en place pour que se produise un changement de paradigme, une révolution en réalité.

La naissance de la production industrielle

Jusqu'à ce moment, la production était plutôt artisanale, puisqu'on ne disposait ni des machines nécessaires à la fabrication en grandes séries, ni d'une source d'énergie pour les faire fonctionner; pour que puisse naître la société de consommation, il fallut que se développe la production industrielle. Or, la révolution du complexe technologique de la phase *paléotechnique*, qui commence dans la seconde moitié du dix-huitième siècle et se poursuit jusque vers la fin du dix-neuvième, se

14. L. Mumford, *op. cit.*, p. 139-140.

caractérise par deux changements fondamentaux: la substitution du bois par le charbon comme source d'énergie et par le fer comme matière première. «Une nouvelle civilisation est née de ce combiné fer-charbon[15]», écrit Mumford. Ce changement se concrétise dans la machine à vapeur à piston, ancêtre des moteurs qui propulsent nos voitures encore aujourd'hui; même si cette invention a connu ses balbutiements vers la fin du dix-septième siècle, on en attribue souvent la paternité à James Watt, qui en a fait une technologie motrice fiable et au rendement utile seulement en 1769. Cette nouvelle source d'énergie mécanique provoque une révolution dans tous les secteurs d'activité. En accroissant l'efficacité des pompes à eau, elle facilite le travail dans la mine et permet d'exploiter des gisements situés dans des couches plus profondes. En augmentant la puissance des souffleries, essentielles aux hauts-fourneaux, et des marteaux de forge, elle permet la production d'un fer de meilleure qualité. Elle permet également de mouvoir toutes sortes d'autres machines: «En moins de vingt ans la demande fut telle qu'il [Watt] installa 84 machines dans des filatures de coton, 9 dans des filatures de laine, 18 pour des canaux et 17 dans des brasseries[16]», sans compter une des toutes premières, une énorme machine de 50 CV, dans une meunerie londonienne, l'Albion Flour Mill[17], construite par Watt et un partenaire pour démontrer le potentiel de son invention. Sur le plan du transport, la machine à vapeur servira à propulser des locomotives, des bateaux à aubes, puis à hélice, et des voitures, ces dernières n'étant alors que des objets de curiosité.

La puissance des machines à vapeur et des hauts-fourneaux est tributaire d'un apport calorique plus important que celui fourni par les sources énergétiques utilisées jusqu'alors, le bois et le charbon de bois, un sous-produit du premier. Seul le charbon pouvait fournir les hautes températures requises pour la production d'un fer de grande qualité, et plus tard de l'acier, et l'énergie nécessaire pour alimenter les chaudières des navires pendant les longues traversées. On voit donc une symbiose entre trois technologies, celles du charbon, du fer et de la machine à vapeur. La machine à vapeur facilite l'extraction du charbon qui en

15. *Ibid.*, p. 145.

16. *Ibid.*, p. 149.

17. Site Past Tense: <http://www.alphabetthreat.co.uk/pasttense/albion-mills.html>.

retour augmente l'efficacité de la première. Le charbon permet aussi la production d'un fer plus résistant, donc la construction de chaudières plus performantes et la fabrication d'outils plus précis pour usiner les pièces, des éléments essentiels à la puissance et à la fiabilité de la machine à vapeur. Ainsi va le développement technologique.

Bien sûr, là ne s'arrête pas la contribution du fer à la révolution industrielle de cette époque. Son utilisation à grande échelle marque la naissance d'une industrie métallurgique moderne qui permettra plus tard la mise au point d'alliages complexes, une des bases de la phase technologique suivante. Au dix-neuvième siècle, «le fer devint le matériau universel. On se couchait dans un lit en fer et on se lavait le matin dans une cuvette en fer. On faisait de la gymnastique avec des haltères ou autres appareils de même genre en fer. On jouait au billard sur une table en fer, fabriquée par MM. Sharp et Roberts. On s'asseyait derrière une locomotive en fer et on se dirigeait vers la ville sur des rails en fer, en passant sur un pont de fer, et on arrivait dans une gare couverte en fer. [...] Le premier dôme métallique fut celui de la Halle au blé à Paris en 1817. Le premier navire métallique fut construit en 1787 et le premier bateau à vapeur métallique en 1821. [...] Si le fer fut utilisé le plus largement et le plus avantageusement dans la guerre, il n'est cependant pas une partie de la vie qui n'ait été touchée, directement ou indirectement, par ce nouveau matériau[18].»

Pour bien saisir toute l'importance du charbon, du fer et de la machine à vapeur, il faut savoir que leur perfectionnement a été essentiel à la mise au point de technologies encore en usage aujourd'hui. Le fer est une composante essentielle de la dynamo, un mécanisme inventé par Faraday en 1831 pour la production d'électricité. «La découverte fait boule de neige: le domaine de l'électricité s'empresse alors d'appliquer les principes innovateurs de Faraday aux besoins de production de l'ère industrielle. Par exemple, le premier générateur électrique, véritable précurseur des groupes turbines-alternateurs d'aujourd'hui, découle des principes de Faraday. Les expériences de Faraday amènent d'autres chercheurs à inventer notamment le premier moteur électrique et le premier transformateur, appareil essentiel au transport de l'électricité[19].»

18. L. Mumford, *op. cit.*, p. 152-153.

19. Site d'Hydro-Québec: <http://www.hydroquebec.com/comprendre/histoire/survol/index.html>.

La turbine *hydraulique*, un dispositif qui utilise le mouvement de l'eau pour produire une énergie mécanique, inventée par Fourneyron en 1832, n'aurait jamais vu le jour sans le fer. Or, ce sont des turbines hydrauliques qui, couplées à des génératrices, sont utilisées pour produire l'électricité dans les barrages hydroélectriques. L'électricité s'avérera d'ailleurs un autre fondement de la phase technologique suivante. Il est raisonnable de croire que les travaux de Fourneyron inspirèrent ceux de Parsons, puisqu'en 1884 celui-ci invente la turbine à vapeur, qui fut par la suite perfectionnée par de Laval, lequel, en 1887, conçoit à son tour une turbine plus petite et, en 1890, imagine la tuyère pour accroître la vélocité de la vapeur à l'entrée de la turbine, en augmentant par le fait même la puissance.

Le premier navire utilisant la turbine à vapeur fut le Turbania: « L'ingénieur Charles Algernon Parsons, originaire de Tyneside [une conurbation du nord de l'Angleterre], a fait sensation quand il a présenté son navire à vapeur à la fine pointe de la technologie, le Turbania, pendant la revue navale du jubilé de diamant de la reine [Victoria] à Spithead [région située au sud de l'Angleterre, en bordure du détroit de Solent, qui sépare celle-ci de l'île de Wight]. La vitesse incroyable [35 nœuds — 65 kilomètres/heure] du navire a renversé les officiers de marine qui, selon la rumeur, auraient déposé une offre pour l'achat d'une série de navires de guerre propulsés par la turbine à vapeur révolutionnaire de M. Parsons[20]. »

Des turbines à vapeur sont encore en usage aujourd'hui entre autres sur des navires à propulsion nucléaire et dans des centrales nucléaires utilisées pour la production d'électricité; seule la méthode de production de la vapeur a changé. La turbine et la tuyère sont également utilisées dans d'autres inventions d'aujourd'hui, par exemple le moteur à réaction et le moteur-fusée. Quant au charbon, il sert encore dans certaines centrales thermiques pour produire la vapeur qui alimente les turbines des génératrices utilisées pour produire de l'électricité; EDF (Électricité de France) utilise cette technique dans la centrale de Cordemais (Loire). De nouvelles technologies permettent de réduire considérablement la pollution causée par l'utilisation du charbon: « La centrale thermique s'adapte aux nouvelles réglementations environne-

20. Site Headline History: <http://www.headlinehistory.co.uk/online/North%20East/Victorian/New-Fangled%20Inventions/story1113.htm>.

mentales européennes. Ainsi les fumées dégagées par la combustion sont dépoussiérées, désulfurées (85% du dioxyde de souffre est capté) et dénitrifiées (80% des oxydes d'azote sont retenus). Les cendres résultant de la combustion du charbon sont, quant à elles, valorisées par des entreprises de travaux publics ou stockées dans le parc à cendres[21]. »

D'autres technologies de la phase paléotechnique sont également à mentionner car, même si elles n'ont eu qu'un faible impact à cette époque, elles ont joué un rôle clé pendant la phase suivante. Puisque l'électricité est un des fondements de celle-ci, penchons-nous d'abord sur cette forme d'énergie aux nombreux usages parmi lesquels on compte entre autres l'éclairage, le chauffage, la motricité et les communications. Parmi les travaux fondateurs sur l'électricité, on trouve la découverte des charges positive et négative de l'électricité par Franklin en 1747 et celle de l'arc électrique par Davy vers 1910[22], l'invention de la pile électrique par Volta en 1800, celle de l'électro-aimant par Surgeon en 1825 et les travaux de Faraday déjà mentionnés. Passons maintenant aux utilisations. Au chapitre de l'éclairage, si on attribue l'invention de la lampe à incandescence à Edison, car, en 1879, il fut le premier à déposer un brevet pour une lampe à incandescence utilisant un filament de carbone[23], d'autres que lui ont cependant travaillé à la mise au point de cette invention, et ce dès 1810: De la Rue, Lindsay, King, Goebel, Grove, de Moleyns, Staite, Daper, Shepard, Way, Lodyquin, De Changy, et d'autres sans doute, sans oublier Swan, qui, six mois avant Edison, présente les résultats de ses recherches à l'exposition universelle de l'électricité à Newcastle[24].

En 1878, «à l'Exposition universelle de Paris, le monde découvre un nouveau mode d'éclairage: l'éclairage électrique. Les visiteurs émerveillés déambulent sur l'avenue de l'Opéra et voient pour la première fois la "bougie électrique", la lampe à arc inventée par Pavel Jablochkov, un ingénieur russe vivant à Paris.» En 1879, Craig, un Montréalais qui avait visité l'exposition de Paris l'année précédente, «fait une démonstration publique de la lampe à arc, cette fois au Champ-de-Mars

21. Site Cordemais: <http://www.cordemais.fr/module-Contenus-viewpub-tid-2-pid-64.html>.

22. Site Invention Europe: <http://www.invention-europe.com/Article399056.htm>.

23. Site Raconte-moi la radio: <http://dspt.club.fr/La_lampe.htm>.

24. *Ibid.* Voir aussi L. Mumford, *op. cit.*, p. 382 à 385.

à Montréal, terrain d'exercice de l'armée.» «Il [Craig] en vient à fabriquer lui-même ses lampes à arc et à incandescence. Sous la raison sociale Craig et fils, il tente de se tailler une place dans le marché de l'éclairage public. Son entreprise, comme tant d'autres, est vite absorbée par la puissante Royal Electric Company[25].»

Comme celle de la lampe à incandescence, l'invention du moteur électrique est loin d'être le fait d'un seul, elle se fait «à travers un processus de développement et de découverte entrepris avec la découverte de l'électromagnétisme par Hans Oersted en 1820 et impliquant d'autres travaux par William Sturgeon, Joseph Henry, André Marie Ampère, Michael Faraday, Thomas Davenport et quelques autres. En utilisant une définition large de "moteur" au sens d'appareil qui convertit l'énergie électrique en mouvement, la plupart des sources citent Faraday comme l'inventeur des premiers moteurs électriques, en 1821. Ces derniers étaient utiles comme dispositifs de démonstration, mais sans plus, et la plupart des gens n'y reconnaîtraient pas quelque chose ressemblant à un moteur électrique moderne[26].»

Dernier exemple que nous retiendrons des applications de l'électricité: les communications. La découverte de l'arc électrique et l'invention de la lampe à incandescence puis de l'électro-aimant sont des étapes importantes dans l'utilisation de l'électricité comme moyen de communication. Une première invention, celle du télégraphe électromagnétique, est attribuée à Samuel Morse en 1838; à l'aide d'un code faisant appel à des points et des tirets, ce dispositif permet de transmettre des messages sur de longues distances, mais il est dépendant d'un réseau câblé. Il sera néanmoins largement utilisé, en particulier par les entreprises qui ont aménagé les liens ferroviaires transcontinentaux au Canada et aux États-Unis; l'ajout de poteaux pour soutenir les fils nécessaires ne représente qu'un faible pourcentage des coûts de construction de la voie ferrée, et la transmission de messages télégraphiques est une source de revenus appréciable pour les entreprises en question. «La communication télégraphique a donné naissance à une

25. Site d'Hydro-Québec: <http://www.hydroquebec.com/comprendre/histoire/histoire_quebec/index.html>.

26. Site Sparkmuseum: <http://www.sparkmuseum.com/motors.htm>. Ce site présente une large collection de dispositifs apparentés à des moteurs électriques.

industrie très importante, mais il était inévitable que l'ingéniosité humaine pousse plus loin l'idée du télégraphe. Dès les années 1850, des scientifiques s'intéressèrent à la transmission des sons et de la voix à l'aide de l'électricité. À l'été 1874, Alexander Graham Bell discuta de ses théories sur le sujet avec son père, le professeur Alexander Melville Bell, à leur résidence familiale de Brantford (Ontario). Il reçut un brevet pour le téléphone le 7 mars 1876[27]. »

C'est Guglielmo Marconi qui, poussant la télégraphie un pas plus loin, met au point la radiotélégraphie ou télégraphie sans fil (TSF) en 1896 et la fait breveter le 2 juin de la même année : « La valeur et l'utilité de ses travaux étant évidentes, une société radio-électrique est formée au capital de £100 000, en 1897 à Londres, la Wireless Telegraph and Signal Company, Limited, qui devient, trois ans plus tard, la Marconi's Wireless Telegraphs Company, Ltd. Celle-ci se charge des brevets de Marconi et de ses collaborateurs dans tous les pays, à l'exception de l'Italie [son pays natal], avec laquelle le jeune savant conclut, dans un sentiment de gratitude pour l'aide qu'il y a reçue, un arrangement spécial[28]. » De ces inventions naîtront la radiotéléphonie, puis la téléphonie cellulaire, la télévision et les réseaux de communication dont l'internet.

Quittons le domaine de l'électricité pour nous intéresser encore une fois à la motorisation. Malgré que le moteur électrique ait été utilisé pour propulser des voitures, des navires et des locomotives dès les années 1830, ce type de motorisation n'offrait alors ni la puissance ni l'autonomie nécessaires. Encore aujourd'hui, si des moteurs électriques sont utilisés dans des véhicules à la fine pointe de la technologie, pensons au TGV en France, leur utilisation est limitée à des corridors électrifiés ; personne à ce jour n'a réussi à mettre au point, à un coût raisonnable, des accumulateurs compacts et de grande puissance ou un dispositif de taille réduite permettant de produire le courant électrique nécessaire au fonctionnement d'un véhicule autonome, sans l'apport énergétique d'un moteur à combustion interne utilisant un carburant.

27. Site Bell Canada : <http://www.bce.ca/fr/aboutbce/history/index.php>.

28. A. Huth, *La radiodiffusion, puissance mondiale*, Paris, Gallimard, 1937, p. 24 ; en consultation sur le site Google Books : <http://books.google.ca/books?id=Gtst9iCXZNgC&pg>.

Ce type de moteur, qui existe maintenant dans plusieurs variantes, a permis une véritable révolution du transport; plus pratique d'utilisation que le moteur à vapeur, il permet une relative autonomie du véhicule, sous réserve d'un approvisionnement en carburant à intervalle régulier. C'est lui qui a permis l'invention de l'automobile et de l'avion et qui a augmenté l'efficacité du transport maritime et ferroviaire. Encore cette fois, la mise au point du moteur à combustion interne d'utilisation pratique est un processus qui s'est étalé sur un siècle et a mis à contribution la science de plusieurs inventeurs.

En 1807, en Suisse, François Isaac de Rivaz conçoit une automobile expérimentale propulsée par un moteur utilisant un mélange d'hydrogène et d'oxygène comme carburant. En 1824, en Angleterre cette fois, Samuel Brown convertit un moteur à vapeur à l'utilisation du gaz; dans les années qui suivent, d'autres chercheurs, Jean Joseph Étienne Lenoir, Alphonse Beau de Rochas, Siegfried Marcus, George Brayton et Eugen Langen, travaillent également sur le concept[29]. C'est à Nikolaus August Otto que revient le mérite de mettre au point, en 1876, un moteur à quatre temps d'usage pratique utilisant le gaz comme carburant[30].

N'oublions pas Karl Benz, un ingénieur allemand, à qui on attribue la construction, dès 1885, de la première voiture d'usage pratique mue par un moteur à combustion interne utilisant pour la première fois un carburant liquide, l'essence. La même année, un autre ingénieur allemand, Gottlieb Daimler, en collaboration avec Wilhelm Maybach, perfectionne le moteur d'Otto et en fait le prototype du moteur moderne[31]. C'est à lui que l'on doit la Mercedes, la célèbre marque à l'étoile introduite en 1899. De l'association entre Benz et Daimler en 1926 naîtra la marque Daimler-Benz[32].

On ne peut pas clore l'étude des technologies de la phase paléotechnique sans mentionner les premiers travaux sur la radioactivité,

29. Site About.com: <http://inventors.about.com/library/weekly/aacarsgasa.htm>.

30. Site ThinkQuest: <http://library.thinkquest.org/C006011/english/sites/ottomotor.php3?v=2>.

31. Site About.com: <http://inventors.about.com/library/weekly/aacarsgasa.htm>.

32. Site Histomobile: <http://www.histomobile.com/dvd_histomobile/histomo/57/history2.asp>.

précurseurs de l'utilisation de l'énergie nucléaire. Seuls les travaux précurseurs se déroulent à la toute fin de la phase paléotechnique pour les uns, ou au tout début de la phase néotechnique pour les autres, disons donc dans la dernière décennie du dix-neuvième siècle. Pensons aux travaux de Wilhelm Conrad Roentgen, qui ont mené à la découverte des rayons X en 1895, suivis de ceux d'Henri Becquerel sur les rayons uraniques (uranium), en 1896, qui ont mis en évidence un phénomène que Marie Curie, née Sklodowska, appellera « radioactivité ». Marie Curie, aidée de son mari Pierre, découvre deux nouveaux éléments radioactifs, le polonium et le radium. Les travaux de ces trois grands chercheurs leur vaudront le prix Nobel de physique en 1903. Pour terminer l'exploration du nucléaire au dix-neuvième siècle, on ne peut passer sous silence les travaux d'Ernest Rutherford sur le rayonnement et la désintégration des éléments radioactifs, qui lui permettent de découvrir les rayonnements *alpha* et *beta*, et lui vaudront le prix Nobel de chimie en 1908[33].

Soulignons que, dans son analyse de la phase paléotechnique, Mumford ne fait aucune mention de l'aluminium ; il en traite plutôt dans la phase néotechnique, lorsque l'utilisation de ce métal se répand, entre autres dans le domaine de l'électricité grâce à son excellente conductivité. Mumford ne mentionne pas non plus deux autres métaux, le magnésium et le titane ; on peut supposer qu'il est trop tôt à la parution de *Technics and Civilization* pour en apprécier les qualités et usages. Au dix-neuvième siècle, on utilise surtout le premier pour produire un flash en photographie ; plus tard, on lui trouvera des usages militaires. Quant au second, on ne lui trouve des usages que dans la deuxième moitié du vingtième siècle.

Les technologies mises au point pendant la phase paléotechnique ont permis de satisfaire une des conditions préalables de la naissance de la société de consommation : l'existence des méthodes et outils essentiels à la production de masse. Pourquoi une société de consommation n'a-t-elle pas pris dès lors son essor ? En tout premier lieu, parce que la production de l'époque, bien que faisant appel à la machine, repose encore largement sur une main-d'œuvre abondante grâce à l'« accroissement de

33. Site Nobelprize.org : <http ://nobelprize.org/nobel_prizes/physics/laureates/1903/index.html>, et <http ://nobelprize.org/nobel_prizes/chemistry/laureates/1908/>.

population qui marqua les premières années de la période paléotechnique». En fait, l'adoption des machines dans le processus de production se fait très lentement, car il nécessite un apport important de capital; on est encore loin de la production en grandes séries. Par ailleurs, hormis la presse écrite, les médias de masse n'ont pas encore vu le jour, pas plus que les techniques de persuasion. Sur le plan humain, plusieurs éléments sont à considérer. Tout d'abord, l'allongement de la journée de travail accorde peu de temps de loisir à l'ouvrier, et les conditions de travail très dures laissent celui-ci épuisé, voire malade. En outre, ses revenus sont très limités: «Les machines étaient tellement automatiques que l'ouvrier lui-même, au lieu d'accomplir le travail, devint le serviteur de la machine, corrigeant les manques des opérations automatiques et les ruptures de fils. Cela pouvait être accompli aussi bien par une femme que par un homme, par un enfant de huit ans aussi bien que par un adulte, pourvu que la discipline soit assez stricte. Comme si la concurrence des enfants ne suffisait pas à faire baisser les salaires et à assurer la soumission générale, il y eut un autre facteur de coercition: la menace d'une nouvelle invention qui élimine l'ouvrier[34].» Le manque de temps et de revenus discrétionnaires tout autant que l'épuisement physique sont plus propices à une lutte pour la survie qu'à la consommation; à l'époque du paléotechnique, la jouissance des biens matériels demeure encore une fois l'apanage des privilégiés.

Pour ceux qui se réjouiraient trop vite de ce que la société actuelle n'utilise plus ces méthodes, disons-le, barbares, permettez-moi de citer ce passage que Mumford écrivait au début des années 1930: «Bien que par commodité j'ai parlé de la phase paléotechnique au passé, elle est encore parmi nous, et ses méthodes et habitudes de pensée règnent encore sur une grande partie de l'humanité[35].» J'ajoute que ces pratiques ont toujours cours aujourd'hui dans les usines de certains pays auxquelles des industriels occidentaux impartissent leur production pour réduire le coût de fabrication.

En définitive, la période paléotechnique n'est «qu'une période de transition, une avenue encombrée, congestionnée entre les économies éotechnique et néotechnique[36]». Elle a néanmoins permis l'émergence

34. L. Mumford, *op. cit.*, p. 162 et 161.
35. *Ibid.*, p. 193.
36. *Ibid.*

des technologies, des sources d'énergie et des matériaux nécessaires à l'avènement d'un nouveau paradigme, celui de la phase néotechnique.

La technologie, moteur de la consommation

Si on voit se dessiner ce que sera la phase néotechnique dès le milieu du dix-neuvième siècle, il faudra attendre le vingtième siècle pour vraiment en voir les premières manifestations. Mumford qualifie cette phase d'époque de l'électricité et des alliages ; il est persuadé que « les avantages qualitatifs de l'électricité engendreraient des améliorations dans les sphères environnementale, sociale et économique[37] ». De l'électricité et des alliages naîtront les technologies dont nous parlerons dans les chapitres suivants. L'analyse que fait Mumford de cette période est davantage d'ordre socioéconomique que technologique. Sur le plan socioéconomique, bien que la percevant comme un complexe technologique distinct, il soutient ne pouvoir, en 1934, « la considérer comme une période, à la fois parce qu'elle n'a pas atteint sa propre forme et sa propre organisation, parce que nous y sommes encore plongés et ne pouvons voir ses détails dans leurs relations ultimes, parce qu'elle n'a pas chassé le régime plus ancien avec la rapidité et la décision qui caractérisent la transformation de l'ordre éotechnique au XVIIIe siècle[38] ».

Sur le plan technologique, il semble voir cette phase comme une ère propice à la matérialisation d'inventions visionnaires, tel l'avion ou le sous-marin de Léonard de Vinci, impossibles à concrétiser avec les technologies de l'époque : « Vers 1850, une bonne partie des découvertes scientifiques et des inventions fondamentales de la phase nouvelle étaient faites : la cellule électrique, l'accumulateur, la dynamo, le moteur, la lampe électrique, le spectroscope, la doctrine de la conservation de l'énergie. Entre 1875 et 1900, l'application détaillée de ces inventions à l'industrie fut réalisée dans la centrale électrique, le téléphone et la télégraphie sans fil. Enfin, une série d'inventions complémentaires, le phonographe, le cinéma, le moteur à explosion, la turbine à vapeur, l'avion, furent toutes esquissées, sinon perfectionnées, vers 1900[39]. »

---

37. Site de la School of Communication and the Arts, Regent University : <http://www.regent.edu/acad/schcom/rojc/mdic/mumford.html>.

38. L. Mumford, *op. cit.*, p. 194-195.

39. *Ibid.*, p. 196.

Si Mumford reconnaît l'influence de la première guerre mondiale sur le retard à se développer du complexe néotechnique, il passe par contre sous silence le krach de 1929 et la grande dépression qui s'ensuivit pendant toute une décennie. Ajoutons la seconde guerre mondiale et nous avons là trois influences qui ont retardé la pleine instauration de la phase néotechnique… et de la société de consommation. Contrairement aux guerres européennes, coloniales ou civiles qui les ont précédés, les deux conflits en question sont d'envergure mondiale. Les effets de la grande dépression se sont aussi fait sentir à l'échelle planétaire. Les désordres occasionnés par ces événements ont déterminé le cadre social et les buts collectifs de la civilisation occidentale. Lorsqu'on lutte pour sa survie, on pense moins à la consommation d'objets qui ne sont pas véritablement essentiels. Cependant, dès le début du vingtième siècle, donc bien avant la naissance de la société de consommation, que l'on situe habituellement après la seconde guerre mondiale, les valeurs matérielles sous-jacentes à cette société sont déjà présentes: « De cette recherche de la production quantitative vient la tendance machiniste à concentrer l'effort exclusivement sur la production de biens matériels. On accorde une importance disproportionnée aux moyens de vie physiques. Les gens sacrifient leur temps et les plaisirs présents pour acquérir une plus grande abondance de biens physiques. Car on suppose qu'il y a une relation étroite entre le bien-être et le nombre de baignoires, d'automobiles ou de choses analogues que l'on peut posséder. Cette tendance à satisfaire non les besoins physiques de la vie, mais à étendre indéfiniment la quantité d'équipement matériel, n'est pas un caractère exclusif de la machine, parce qu'elle était aussi l'accompagnement naturel des phases capitalistes dans les autres civilisations. Ce qui caractérise la machine, c'est le fait que cet idéal, au lieu d'être réservé à une classe, s'est vulgarisé et répandu — du moins en tant qu'idéal — dans toutes les couches de la société. On peut définir cet aspect de la machine comme un “matérialisme sans but”[40]. » Autrement dit, la possession d'objets est un désir inhérent à la nature humaine, mais refoulé jusque-là au sein de la classe ouvrière; constatant que les technologies et les outils de l'ère industrielle permettent la production et la vente à un prix abordable d'objets de toutes sortes, l'ouvrier idéalise la possession de ces objets, prenant pour modèle le compor-

40. *Ibid.*, p. 242-243.

tement qu'il a observé au sein des classes privilégiées. N'eût été des deux guerres et de la crise économique, trois événements qui ont retardé l'enrichissement collectif nécessaire à l'instauration de la société de consommation, il y a gros à parier que celle-ci serait apparue bien avant.

Une des conséquences positives, si on peut parler ainsi, de la seconde guerre mondiale est le retour au plein emploi pour la première fois depuis la crise des années 1930. En outre, les millions de morts sur les champs de bataille et parmi les populations civiles ainsi que l'appel de tous les hommes valides sous les drapeaux entraînent une pénurie de main-d'œuvre. Ce sont donc les femmes qui vont les remplacer sur les chaînes de production et même dans des rôles de non-combattants au sein de l'armée. Les répercussions de ce phénomène se font sentir encore aujourd'hui. Outre les transformations que cela implique sur le plan social, l'augmentation du revenu familial est un facteur important dans la naissance de la société de consommation. Cet état de plein emploi se maintient après la guerre avec la conversion d'une production de guerre à une production civile ; en particulier en Amérique du Nord, une énorme capacité de production avait été développée pour satisfaire les besoins militaires, il allait de soi que celle-ci allait continuer d'être utilisée après la fin du conflit. Naîtra donc une classe moyenne aisée, maintenant capable de satisfaire son désir de s'adonner aux plaisirs de la consommation et impatiente d'y donner libre cours, après les privations subies dans la première moitié du vingtième siècle.

Les deux guerres ont évidemment stimulé la recherche d'amélioration des technologies existantes et le désir d'en mettre au point de nouvelles, qui seront par la suite utilisées pour des produits de grande consommation ; c'est entre autres le cas des technologies de l'informatique, qui révolutionneront les dernières décennies du vingtième siècle. En outre, la seconde guerre mondiale a permis de perfectionner des techniques indispensables à l'émergence de la consommation de masse : la gestion de la production de très grandes séries, incluant l'approvisionnement en amont et la distribution en aval, et les techniques de persuasion. Les industriels ont beaucoup appris. On a perfectionné les méthodes et outils de production, entre autres en étendant l'utilisation de la chaîne de montage de l'industrie automobile à d'autres industries et en simplifiant le design des pièces pour accélérer la production. On a développé l'infrastructure d'approvisionnement en composantes et appris à gérer efficacement ce réseau de fournisseurs. Finalement, le casse-tête d'avoir à fournir nourriture, vêtements, carburant, armes et munitions à des millions de combattants sur de multiples théâtres d'opération distants de plusieurs milliers de kilomètres a permis de perfectionner les méthodes de distribution.

Considérons maintenant un outil de la guerre psychologique : la propagande. Pendant les deux guerres mondiales, le rôle des communications comme outil de persuasion était devenu évident, entre autres pour réduire au minimum les effets d'une défaite ou au contraire amplifier ceux d'une victoire, pour maintenir ou même rehausser le moral des combattants et des populations civiles, orienter l'opinion publique en quelque sorte, se concilier la sympathie des pays non alignés et induire l'ennemi en erreur quant à une stratégie ou une opération ; des techniques de propagande ont été élaborées et utilisées par tous les belligérants. Or, ces techniques étant très similaires à celles utilisées dans le domaine de la publicité et des relations publiques, l'expérience acquise a pu facilement être transposée dans ces domaines après la guerre ; l'émergence d'un nouveau média, la télévision, n'a fait que renforcer encore le mouvement.

Les connaissances et l'expérience accumulées *pendant* la guerre ont été précieuses pour produire et commercialiser des biens de consommation *après* la guerre. Si l'industrie était prête à produire et vendre, les populations, elles, étaient lasses des privations subies pendant la crise des années 1930 et la guerre qui la suivit. Dès lors, il n'y a rien d'étonnant à voir naître une société de consommation vers la fin des années 1940. L'acheteur d'avant-guerre devient un consommateur : il acquiert une maison en banlieue pour vivre dans un milieu plus paisible que celui de la ville, achète des appareils électroménagers et d'autres biens durables pour la meubler, une voiture pour se déplacer, parfois deux, et bien sûr un téléviseur, la toute nouvelle technologie qui vient de voir le jour. Plus loin nous verrons comment la technologie a contribué à transformer le consommateur en hyperconsommateur.

Un des changements fondamentaux qui, selon Mumford, caractérisent la phase néotechnique est la naissance d'un nouveau paradigme scientifique. Pendant les phases précédentes, la création de nouveaux outils, mécanismes, dispositifs et machines est le fait d'inventeurs et d'ingénieurs, au sens très large qu'on donne à ces termes, par exemple Léonard de Vinci, ou encore les responsables de la construction des pyramides d'Égypte, de l'Acropole, des aqueducs romains. Ce sont les praticiens qui inventent: «Car ces inventions [machine à vapeur, chemin de fer, filature, bateau métallique] furent rendues possibles, dans une large mesure, par les méthodes empiriques de la pratique, par l'essai et la sélection[41].» La plupart sinon toutes les inventions voient le jour sans l'intervention directe de la science, c'est-à-dire avec très peu de recherche scientifique, ou même aucune. La phase néotechnique voit la science s'imposer dans le domaine de l'invention.

«Mais, qu'est-ce donc que la science?», me demandera-t-on. L'*Encyclopædia Britannica* la définit comme «tout système de connaissances lié à l'étude du monde physique et de ses phénomènes et qui comporte des observations objectives et une expérimentation systématique. En général, une science concerne une poursuite de la connaissance portant sur des vérités générales ou l'application de lois fondamentales[42].» La science est un savoir obtenu au travers d'un processus de recherche rigoureux et documenté reposant sur des données factuelles, permettant ainsi à des chercheurs de reproduire donc de corroborer les résultats d'enquêtes, d'expériences ou d'autres formes de recherche. Issue de disciplines telles les mathématiques, la physique et la chimie, la science s'étend graduellement aux autres champs d'études. Avec le vingtième siècle, elle prend le pas sur la technique, le savant, sur l'ingénieur; ainsi, ce sont les travaux d'Albert Einstein et sa formulation de la loi concernant la conversion de la matière en énergie, $E = mc^2$, qui ont permis de réaliser la fission et plus tard la fusion nucléaire. «Un nouveau phénomène naquit de cette habitude: l'invention systématique et délibérée. Ou bien il y avait là une nouvelle matière première, et le problème était de trouver un nouvel usage pour elle. Ou bien il y avait là un besoin indispensable, et le problème était de trouver la formule théorique qui permettrait de le satisfaire[43].» Cette prépondérance de la science sur l'invention technologique permet de réduire les tâtonnements inhérents à la mise au point d'une nouvelle invention. Elle a également pour conséquence de stimuler en quelque sorte la naissance d'inventions nouvelles:

41. *Ibid.*, p. 197.

42. Site de l'*Encyclopædia Britannica*: <http://www.britannica.com/EBchecked/topic/528756/science>.

43. L. Mumford, *op. cit.*, p. 199.

puisque la science nous dit que c'est possible de le faire, cela doit se faire. Ce phénomène est à la base du foisonnement accéléré de nouvelles technologies et participe donc à l'émergence de la société d'hyperconsommation que nous connaissons aujourd'hui. Cette capacité de la science à produire des inventions spectaculaires finira par lui conférer une aura de toute-puissance, qui se communiquera à la technologie en laquelle on verra la source de tous les plaisirs et le remède à tous les maux.

Chapitre 2
Les technologies de l'informatique

Les inventions informatiques sont parmi les plus marquantes du monde actuel. L'informatique, qui évoque immédiatement l'utilisation d'un ordinateur, est, selon le dictionnaire Antidote, la « science du traitement automatique et rationnel de l'information » (*data processing*). Pratiquement, cela consiste, à l'aide d'un ordinateur, à convertir des données en information utile à un utilisateur humain ou traitable par une autre machine. Par exemple, les ventes d'une entreprise pourront être saisies par un commis, traitées, puis présentées à un gestionnaire sous la forme d'un rapport de ventes par client, par produit, par distributeur ou par région, lui permettant ainsi d'avoir la mesure détaillée de la croissance, ou de la décroissance, de ses revenus et d'adapter ses stratégies et tactiques de commercialisation en conséquence. Pensons aussi à la conception et à la fabrication assistées par ordinateur, processus complexe qui commence par le dessin d'une pièce par un dessinateur, le plan de la pièce étant ensuite converti en commandes numériques détaillées, lesquelles seront transmises à une machine-outil qui sculptera la pièce avec des tolérances pouvant atteindre le millionième de millimètre.

Ce ne sont là que deux applications des technologies de l'informatique; mais les outils et les usages sont si nombreux que l'on pourrait y consacrer une encyclopédie… qui serait dépassée aussitôt imprimée, puisque, dans ce domaine, l'évolution est quotidienne et que l'espérance de vie d'une technologie se compte en mois. Mais peu importe, pour notre part, nous voulons essentiellement démontrer dans quelle mesure la technologie profite à l'homme et dans quelle mesure elle est nuisible au développement de l'humanité.

L'ordinateur et l'avènement de la société de consommation

L'ordinateur *analogique*, ancêtre des ordinateurs actuels, est un dispositif mécanique de gestion de données «qui s'expriment au moyen de grandeurs physiques (par exemple, des intensités, des tensions ou des pressions hydrauliques)[1]», dont les rouages sont entraînés par des moteurs électriques ou des pistons hydrauliques. L'abaque chinois et la règle à calcul autrefois utilisée par les ingénieurs sont des exemples d'«ordinateurs» analogiques actionnés manuellement. C'est Vannevar Bush, un professeur du Massachusetts Institute of Technology, qui, en 1931, met au point le premier ordinateur analogique fonctionnel, qu'il appelle alors *continuous integraph*; on lui donnera plus tard le nom d'analyseur différentiel[2]. Il s'agit d'une machine gigantesque qui utilise les dix chiffres du système décimal plutôt que le système binaire des ordinateurs actuels; c'est d'ailleurs un étudiant de Bush, Claude Shannon, qui suggère dans son mémoire de maîtrise l'application pratique de l'algèbre booléenne et de l'arithmétique binaire à des circuits électriques, son travail sur l'analyseur différentiel l'ayant amené à rechercher des façons de l'améliorer, entre autres en remplaçant les rouages par des circuits électriques.

Pendant la seconde guerre mondiale, le viseur Norden, qui équipe les bombardiers de l'United States Air Force, utilise un ordinateur analogique pour calculer le point d'impact des bombes. Jusque dans les années 1960, peut-être même 1970, les banques ont utilisé des calculatrices électromécaniques faisant appel au concept d'ordinateur analogique développer par Bush. Des machines numériques ont par la suite jeté ces premiers ordinateurs aux oubliettes de l'histoire.

1. Site Encarta: <http://fr.ca.encarta.msn.com/encyclopedia_101500114/ordinateur.html>.

2. Site KerryR-Pioneers: <http://www.kerryr.net/pioneers/bush.htm>.

Bush est néanmoins un visionnaire. Dans l'article «As we may think», publié en 1945 dans la revue *The Atlantic*, il prévoit la supériorité des ordinateurs *numériques* et *programmables* sur leurs cousins analogiques: «Les machines arithmétiques avancées du futur seront de nature électrique et opéreront à des vitesses 100 fois supérieures, ou même plus, aux vitesses courantes [...] elles sélectionneront leurs propres données et les manipuleront en fonction des instructions insérées[3].» Bush reconnaît donc les avantages des calculateurs numériques et des langages de programmation mis au point pendant la seconde guerre mondiale.

C'est à l'ENIAC (*electronic numerical integrator and computer*) que l'on attribue la plupart du temps l'honneur d'être le premier ordinateur numérique, électronique et programmable. Conçu par les ingénieurs John Mauchly et Presper Eckert, assistés du mathématicien John von Neumann, ce monstre de trente tonnes utilisait dix-huit mille lampes à vide[4]; sa conception était financée par l'armée américaine, qui souhaitait l'utiliser pour calculer des tables de tir balistiques[5]. Les deux ingénieurs quitteront l'université de Pennsylvanie et s'associeront pour fonder la société Eckert-Mauchly Computer; faute de fonds suffisants, l'entreprise n'arrivera pourtant pas à exploiter commercialement les concepts développés avec l'ENIAC. C'est à la compagnie Remington Rand que revient l'honneur de produire le premier ordinateur commercial; l'entreprise acquiert Eckert-Mauchly Computer en 1950 et produit ensuite la première gamme d'ordinateurs conçus pour des applications d'affaires, la série UNIVAC[6].

À la même époque, IBM travaille elle aussi à la conception d'un ordinateur en collaboration avec l'université Harvard. En 1946, elle produit le Mark I, un ordinateur d'une taille beaucoup plus petite; il ne pèse que cinq tonnes. À peu près au même moment que Remington Rand, IBM lance aussi un ordinateur commercial, l'IBM

---

3. V. Bush, «As we may think», *The Atlantic*, juillet 1945, p. 3; en ligne: <http://net.pku.edu.cn/~course/cs410/reading/bush_aswemaythink.pdf>.

4. Site Computerworld: <http://www.computerworld.com/hardwaretopics/hardware/story/0,10801,108790,00.html>.

5. P. Breton et S. Proulx, *L'explosion de la communication: la naissance d'une nouvelle idéologie*, Montréal, Boréal, 1994 (3e éd.), p. 87.

6. Site Unisys: <http://www.unisys.com/about__unisys/history/index.htm>.

701, en 1952[7]. Immanquablement, les outils de la guerre trouvent leur utilité dans les affaires.

La société de consommation émerge dans l'après-guerre et, avec elle, la production à grande échelle de biens de toutes sortes. Les technologies de l'informatique ont sans contredit contribué à cette croissance; l'utilisation d'ordinateurs favorise l'essor des entreprises, entre autres par une réduction des coûts dans un premier temps et, plus tard, par une augmentation de la capacité de production. La réciproque est également vraie: ces technologies n'auraient pas obtenu le succès commercial et la large diffusion qu'on leur connaît aujourd'hui sans la société de consommation.

En 1953, IBM annonce son modèle 650, qui se vendra à plus de deux mille exemplaires jusqu'en 1962. Ses applications scientifiques plaisent aux universités et ses applications comptables, aux entreprises. L'IBM 704, annoncé un an plus tard, est encore plus populaire; l'entreprise en vendra plus de cent vingt mille jusqu'en 1965. Finalement, en 1964, IBM annonce son modèle 360, une série phare de systèmes informatiques de grande puissance (*mainframes*); de celui-ci, naîtra l'IBM 370, puis le 390. Apanage des grandes entreprises, ces ordinateurs ont permis à celles-ci de mieux gérer leurs ressources, donc d'abaisser leurs dépenses d'exploitation et de production. Et ainsi, dans les années 1950 et 1960, ces grandes sociétés ont pu mettre sur le marché à prix abordable des biens de toutes sortes pour lesquels la demande explosait.

N'oublions pas que ce que nous appelons la société de consommation n'est qu'un phénomène normal, attribuable au désir collectif de compenser pour vingt ans de privations; profitant de l'enrichissement résultant du boom économique de l'après-guerre et motivée par la croyance en la possibilité d'avancement social, la population, en particulier la classe moyenne, achète une maison en banlieue, une voiture et d'autres biens durables, tels l'ameublement ou les appareils électroménagers, mais aussi une nouveauté, le téléviseur. Certes, la consommation explose, mais on n'assiste pas encore au mouvement effréné qu'elle atteindra à la fin du vingtième siècle et au début du suivant; la machine n'est pas encore emballée, la production de biens reste relativement restreinte en diversité.

---

7. Site IBM: <http://www-03.ibm.com/ibm/history/history/history_intro.html>.

La véritable révolution, pour les entreprises d'abord, pour la consommation ensuite, vient d'une réduction de la taille des systèmes informatiques; dans les années 1970, Burroughs Business Machines, Olivetti, Philips, Signer, Wang et d'autres mettent sur le marché des mini-ordinateurs destinés aux petites et moyennes entreprises. C'est le cas, chez Burroughs par exemple, de la série « L », de la L500 à la L9000. De la taille d'une petite table de travail, ces machines à calculer pouvaient se vendre pour aussi peu qu'une vingtaine de mille dollars. À ce prix, une entreprise avait droit à 4 Ko de mémoire vive, à une imprimante intégrée et à une série d'applications, telle la gestion des comptes à payer et à recevoir, de la paie, ou des stocks. La programmation se faisait par le biais d'un ruban perforé et l'entrée de données, à l'aide d'un clavier, les caractères étant imprimés sur un journal en alimentation continue et sur des fiches cartonnées grand format dotées d'une piste magnétique à l'arrière, analogue à celle que l'on retrouve aujourd'hui au verso des cartes bancaires. Par la suite, on a ajouté le « luxe » de 16 Ko de mémoire et d'une cassette, analogue à celles utilisées pour la musique, pour charger les logiciels et conserver les données.

Selon les standards technologiques actuels, on peut se demander ce qu'il était bien possible de réaliser avec 4 Ko de mémoire. Eh bien, en programmant directement en langage assembleur, le langage machine lisible par l'homme, il était tout à fait possible de concevoir des applications telles que le grand livre, les comptes à payer, les comptes clients, la paye, la gestion des inventaires, etc.

Le prix de ce système informatique peut également sembler exorbitant, aujourd'hui qu'on peut acheter pour moins de mille dollars un micro-ordinateur doté de 3 Go de mémoire et d'un disque rigide de 250 Go, incluant un ensemble de logiciels de bureautique, tel Microsoft Office. Considérons toutefois que la réduction des coûts associée à l'utilisation de ces appareils en justifiait largement l'achat. Pouvoir entrer les données une seule fois plutôt que sur plusieurs pages d'un registre, produire automatiquement des états financiers, mieux suivre l'inventaire des marchandises, les comptes à payer et les comptes clients — tout cela justifiait largement qu'une entreprise décide d'en faire l'acquisition[8]. Ces systèmes n'étaient évidemment pas destinés au

8. Convaincre un client était facile. Pour la gestion d'inventaire, par exemple, voici un dialogue typique : « — Quelle est la valeur de l'inventaire que

consommateur individuel. Il est indéniable que l'achat de ces machines était avantageux pour les entreprises, la réduction des coûts entre autres leur conférant un avantage concurrentiel. Leur principale fonction était donc utilitaire, bien que, sur le plan symbolique, l'image de l'entreprise s'en trouvait elle aussi améliorée. Certains chefs d'entreprise montraient d'ailleurs avec fierté leur « salle d'ordinateur » à tous leurs visiteurs.

Ces entreprises ont en tout cas prospéré et leurs besoins en termes de gestion informatique ont augmenté et, les progrès technologiques aidant, sont devenus plus raffinés. En 1973, le disque rigide de type Winchester, une invention d'IBM[9], vient révolutionner le stockage des données et favoriser la naissance d'une autre génération de mini-ordinateurs plus puissants. Vers la fin des années 1970, IBM lance son Système/38 ; Burroughs offre, elle, le B700 et le B1700, deux mini-ordinateurs utilisant la technologie du disque rigide. Ce type de stockage comportait de grands avantages, entre autres en ce qui concerne la quantité de données conservées et l'accès à ces données.

Conserver des données sur des fiches cartonnées était une solution impraticable pour les applications requérant plus de quelques centaines d'éléments ; en outre, la recherche d'informations devait se faire manuellement et nécessitait un système de classement très efficace. Même si elle avait augmenté la capacité de stockage, la cassette n'avait pas remplacé la fiche ; on la voyait plutôt comme un ajout. En outre, la recherche d'informations sur une cassette est séquentielle ; si une information se trouve à la fin de la bande, vous devez la dérouler complètement pour y avoir accès.

Le disque rigide, lui, vient changer tout ça ; il décuple la capacité de stockage et facilite la recherche d'informations, auxquelles il est

---

vous maintenez ? — 2 500 000 dollars. — À quel pourcentage de cet inventaire s'élèvent les frais liés à son maintien, par exemple le capital, l'espace, les pertes, l'obsolescence, l'assurance, etc. ? — 30 % par année. — Vos frais de maintien d'inventaire s'élèvent donc à 750 000 dollars par année. De quel pourcentage pensez-vous pouvoir réduire votre inventaire avec un système de gestion informatisé ? — 5 %. — La réduction des frais de maintien d'inventaire représente donc une économie de 37 500 dollars par année. Puisque le système que nous proposons ne requiert qu'un investissement de 26 000 dollars, vous récupérerez cette somme en moins de neuf mois et économiserez 11 500 dollars dès la première année. »

9. Site IBM : <http://www-03.ibm.com/ibm/history/index.html>.

désormais possible d'accéder instantanément peu importe où elles se trouvent sur le disque. Pour la première fois, il était possible d'abandonner les fiches avec pistes magnétiques. Un énorme progrès, certes, mais c'était sans compter la réticence au changement inhérente à la plupart des êtres humains.

Dans les entreprises, jusqu'à l'avènement de l'ordinateur, l'entrée des données comptables, financières et autres s'était toujours faite dans des livres ; c'est ce qu'on appelle la tenue de livre. Lorsque les mini-ordinateurs tels ceux de la série L de Burroughs sont apparus, le client automatisait en quelque sorte sa tenue de livre tout en conservant des documents en format papier, la fiche cartonnée et un journal d'entrée de données. Lorsqu'on a voulu faire évoluer ces clients vers les modèles B700 et B1700 dotés de disques rigides et d'écrans cathodiques, on a fait face à une forte résistance de leur part. C'est que la crainte de perdre des données était très forte : l'entrée de données se faisant sur un écran, le journal d'entrée de données n'était plus imprimé au fil des transactions, même si on pouvait évidemment l'imprimer après coup ; en outre, le stockage des données se faisant sur un disque rigide, la fiche cartonnée devenait superflue ; en fait, les nouveaux systèmes ne permettaient plus l'impression de ces fiches. Il a donc fallu surmonter la crainte en proposant aux clients trop inquiets d'imprimer le journal d'entrée de données chaque jour et le registre des comptes, par exemple les comptes à payer, les comptes clients, les postes d'inventaire, etc., chaque semaine. Peu à peu, les habitudes ont changé, et même les plus réfractaires ont abandonné l'impression aussi fréquente de leurs documents.

Vers la fin des années 1970, une autre révolution se produit, qui mènera un peu plus tard à un changement de paradigme dans l'utilisation de systèmes informatiques : la miniaturisation des circuits permettait aux fabricants de produire des ordinateurs encore plus petits. Burroughs lance le modèle B80, un ordinateur encore plus petit que le B700 ; ce n'est cependant pas encore un micro-ordinateur et il est toujours destiné à un usage d'affaires. Il faudra attendre 1981 pour voir IBM lancer le premier véritable micro-ordinateur, assez petit pour être placé sur un bureau et assez puissant pour faire un travail utile, c'est-à-dire autre chose que des jeux ou de la programmation en langage Basic. IBM entendait concurrencer des firmes telles Commodore et Atari, qui commençaient alors à séduire une part non négligeable de la population ; entre 1982 et 1993, 30 millions de Commodore 64 seront vendus, bien que cet ordinateur n'ait été guère plus qu'un « clavier volumineux[10] ».

Le premier modèle de l'IBM PC, le 5150, utilisait un processeur Intel 8088 plutôt qu'un processeur mis au point par l'entreprise elle-même, l'IBM 801. Cette simple décision d'IBM a permis de développer le PC en un temps record, mais elle a entraîné aussi plusieurs conséquences imprévues par l'entreprise. En premier lieu, le fait de choisir un processeur que d'autres entreprises pouvaient elles aussi utiliser a rompu avec la tradition des architectures et des technologies dites « fermées » ou « propriétaires », propriétés d'un manufacturier unique chez qui le client n'avait pas le choix d'acheter ses logiciels et ses périphériques. Cela a empêché IBM d'établir un monopole sur les logiciels, sur les périphériques et sur le PC lui-même. En outre, cette architecture « ouverte » est justement ce qui a permis la révolution de l'ordinateur personnel et le changement de paradigme ; sans ce choix de processeur, la révolution informatique que l'on a connue depuis les années 1980 aurait été bien différente. Le PC a rapidement été copié par d'autres entreprises, parmi lesquelles Compaq figure au tout premier plan, ayant produit un clone du PC, un compatible IBM, dès 1982[11]. Dès lors, l'ordinateur n'est plus l'apanage des entreprises, même si ce sont elles qui se sont d'abord intéressées au produit ; le PC allait lui-même devenir un objet de consommation.

L'ordinateur devient un objet de consommation

C'est le prix abordable du PC et son utilité qui ont provoqué le changement de paradigme ; cette utilité, elle a son origine dans les applications que l'on a conçues pour lui, d'abord utilisées dans le monde des affaires pour ensuite envahir l'univers domestique. Le logiciel Lotus 1-2-3 de la compagnie Lotus Software est sans contredit le programme qui a le plus contribué à l'essor du PC dans les premières années ; destiné à la conception de feuilles de calçul (*spreadsheet*), il est d'abord utilisé pour toutes sortes d'applications dans le monde des affaires, la préparation et

10. Site Wired : <http://www.wired.com/culture/lifestyle/news/2003/09/60349>.

11. Site Ars Technica : <http://arstechnica.com/old/content/2005/12/total-share.ars/4>.

la révision de budgets, par exemple. La puissance et la polyvalence de Lotus 1-2-3 sont telles que des petites entreprises l'utilisent pour tenir leur comptabilité. WordPerfect, de la WordPerfect Corporation, est un autre logiciel qui a permis la percée du micro-ordinateur dans les entreprises ; avant l'avènement du PC, c'est le système de traitement de texte qui domine dans ce créneau. Par exemple, le Wang 1200 WPS (*word processing system*), lancé en 1976 par Wang Laboratories : doté d'un écran pour l'entrée de données et d'une imprimante qualité lettre, ce système de traitement de texte pouvait stocker quatre mille pages[12].

Par la suite, Wang tire profit de sa position dominante dans les systèmes de traitement de texte et lance une gamme de mini-ordinateurs ; à la fin des années 1970, l'entreprise devient le plus important fournisseur de mini-ordinateurs d'affaires en Amérique du Nord. L'arrivée du micro-ordinateur interrompt pourtant ce succès fulgurant vers la fin des années 1980. « Des progrès spectaculaires dans la conception des puces éloignent l'industrie des technologies de bureau du mini-ordinateur et des systèmes propriétaires, tels ceux de Wang. Le marché évolue vers des systèmes ouverts qui peuvent utiliser les technologies de nombreux fournisseurs. [...] La société subit de lourdes pertes d'exploitation, dont les effets sont aggravés par une structure financière reposant sur une lourde dette. En août 1992, un peu plus de deux ans après le décès du Dr Wang, la société se place sous la protection du chapitre 11 de la Loi sur les faillites, pendant sa restructuration[13]. »

Dans les entreprises, donc, dès le milieu des années 1980, l'ordinateur personnel a déjà établi une tête de pont, remplaçant même parfois des mini-ordinateurs ; son introduction dans les foyers doit cependant attendre la fin de cette décennie. Sur le plan de la convivialité, condition essentielle d'une utilisation grand public, le talon d'Achille du PC était son système d'exploitation, le DOS (*disk operating system*), dont l'utilisation nécessitait l'apprentissage d'un certain nombre de commandes, entrées au moyen d'un clavier : backup, copy (copier), del (effacer), dir (lister les fichiers d'un répertoire), fdisk (configurer un disque), format (formater un disque), mkdir (créer un répertoire), print (imprimer), etc. Bien que ces commandes pouvaient

12. Site Computer Museum : <http://www.computermuseum.li/Testpage/WangGetronics.htm>.

13. *Ibid.*

s'apprendre assez facilement pour un usager professionnel, il est évident qu'il en allait tout autrement pour un usager domestique. Ce système d'exploitation était disponible chez plusieurs fabricants, IBM DOS et Compaq DOS, par exemple, et en version générique, Microsoft DOS ou MS DOS.

L'adoption massive du micro-ordinateur est tributaire d'un autre événement marquant, le lancement du Macintosh par la compagnie Apple en janvier 1984 ; la principale différence entre cet ordinateur et son cousin PC réside dans le mode d'utilisation de son système d'exploitation, le Mac OS. Son interface graphique avec un dispositif de pointage, la souris que nous connaissons tous aujourd'hui, rend beaucoup plus conviviale l'utilisation d'un ordinateur, qui devient intuitive, ce qui permet de réduire considérablement le temps d'apprentissage. C'est une révolution dans l'industrie, qu'Apple exploite d'ailleurs admirablement dans une publicité dont le slogan est : « Le 24 janvier, Apple Computer lancera le Macintosh. Et vous verrez pourquoi 1984 ne sera pas comme "1984"[14]. » Inspiré du roman *1984*, de George Orwell, dans lequel l'auteur décrit un monde contrôlé par « Big Brother », le clip publicitaire présente le Macintosh comme l'outil qui libérera les masses ; il est présenté à l'occasion du dix-huitième Super Bowl.

C'est un tournant dans l'histoire du micro-ordinateur ; d'ailleurs, le concepteur du DOS, Microsoft, s'empresse de lancer Windows, un système d'exploitation faisant lui aussi appel à une interface graphique et à une souris. La première version ne voit cependant le jour qu'en novembre 1985, et plusieurs diront que ce n'est en fait que le DOS auquel on a greffé une interface graphique.

Ce mode d'interaction entre l'usager et sa machine est encore répandu aujourd'hui ; nous verrons cependant que d'autres types d'interfaces viendront s'ajouter. Sans cette interface conviviale, on peut douter que le micro-ordinateur serait devenu un objet d'usage courant dans nos foyers.

Un troisième facteur favorise l'utilisation domestique de l'ordinateur personnel : son prix. Lors de son lancement en 1984, le prix du

---

14. Site *Le Monde informatique* : <http://www.lemondeinformatique.fr/actualites/lire-le-macintosh-fete-son-25e-anniversaire-27918.html>. On peut visionner le clip publicitaire en suivant cet hyperlien : <http://www.youtube.com/watch?v=OYecfV3ubP8>.

Macintosh est d'environ 2 000 $US dans sa configuration de base; ce prix a été augmenté à 2 495 $US peu de temps après. Une configuration équivalente de l'IBM PC 5150 se détaillait alors autour de 3 000 $US, mais pour usage domestique IBM vendait une configuration sans écran pour environ 1 600 $US, destinée aux acheteurs désireux d'utiliser leur téléviseur comme écran. Ces prix semblent très élevés comparativement à ceux d'aujourd'hui, mais, pour l'époque, ils étaient accessibles pour certains consommateurs un peu plus fortunés.

On aurait probablement pu les vendre encore moins cher, mais les spécialistes du marketing ont préféré une stratégie qu'ils qualifient à juste titre de «prix d'écrémage», puisqu'elle consiste à écrémer le marché, c'est-à-dire à tirer un maximum de revenus d'un segment de marché composé d'innovateurs que l'on sait à la fois désireux d'adopter tous les nouveaux produits et beaucoup moins sensibles au prix. On justifie cette stratégie par les coûts élevés de la recherche nécessaire au développement du produit; en fait, on doit plutôt y voir l'influence de l'appétit insatiable des grands investisseurs à l'égard du profit qui oblige la direction des entreprises à dégager année après année des marges de profit de plus en plus élevées. Pour les innovations technologiques, la direction des entreprises profite donc de l'avantage concurrentiel que lui confère un nouveau produit pour augmenter la marge de profit unitaire sur celui-ci. L'arrivée des concurrents, la baisse du coût de production engendrée par des volumes plus élevés et l'amélioration des processus et des composantes, ainsi que le désir de pénétrer d'autres segments de marché, poussent par la suite les entreprises à réduire les prix.

C'est cependant cette chute du prix qui a permis la croissance phénoménale du nombre d'ordinateurs domestiques; de quelques milliers que l'on comptait à la fin des années 1970, leur nombre est passé à plus d'un milliard en 2008[15]. L'accès à cette technologie a évidemment un effet important sur la croissance d'un pays, sur la formation de sa population et sur l'accès à l'information; or, cet accès est inégal. La grande majorité des ordinateurs personnels sont installés dans des pays industrialisés; le taux de pénétration de cette technologie est resté très faible dans les pays pauvres. Par ailleurs, on note également des différences importantes au sein même des sociétés industrialisées. On a qualifié cet effet pervers de «fracture ou fossé numérique». En France,

15. Site Gartner: <http://www.gartner.com/it/page.jsp?id=703807>.

« les enquêtes du Crédoc montrent que les nouvelles technologies se diffusent très inégalement au sein de la population. Les cadres sont trois fois plus souvent connectés à Internet que les ouvriers, les diplômés du supérieur le sont cinq fois plus que les non-diplômés, l'écart entre les hauts et les bas revenus étant du même ordre. Ces inégalités diminuent assez lentement ces dernières années. À l'heure où une part croissante des connaissances et de l'information circule sur les réseaux numériques, ces résultats nous interpellent sur les risques d'exclusion d'une partie de nos concitoyens de la société de l'information [16]. »

La situation n'est pas différente au Canada, si l'on en croit un document de recherche publié par Statistique Canada. « Beaucoup de variables, comme le revenu, l'instruction, l'âge et la situation géographique, jouent un rôle important dans la pénétration des TIC et des produits autres que les TIC dans les ménages. Il est donc possible de définir les fractures pour chaque combinaison des éléments précédents. En ce qui concerne les TIC, les fractures dépendent de la technologie en question, du moment de son introduction et de la variable d'intérêt. L'étude montre que la fracture numérique est mesurable; les taux de pénétration des TIC augmentent avec le revenu. Habituellement, l'effet du revenu est davantage marqué pour les nouvelles TIC (Internet, ordinateurs, téléphones cellulaires) que pour les plus anciennes et les mieux établies (télévision, téléphone) [17]. »

Ce phénomène est préjudiciable à un développement socioéconomique équitable dans les pays riches car il crée des exclus. Que dire alors du fossé numérique entre pays riches et pays pauvres? Dans l'ensemble de l'Afrique, on ne rapportait en 2004 aucune augmentation significative du nombre d'ordinateurs personnels depuis 1990, le taux de pénétration moyen s'établissant à moins de 2% de la population [18]; les seules exceptions sont l'Afrique du Sud, la Namibie et la Zambie, où le taux de pénétration varie entre 5% et 15%. Ces taux de pénétration

---

16. R. Bigot, « Le fossé numérique se réduit mais reste important », *Crédoc Consommation et modes de vie*, n° 191, mars 2006, p. 1; <http://www.credoc.fr/pdf/4p/191.pdf>.

17. G. Sciadas, « Découvrir la fracture numérique », Statistique Canada, série sur la connectivité, octobre 2002, p. 4; <http://www.statcan.gc.ca/pub/56f0004m/56f0004m2002007-fra.pdf>.

18. Site Digital Divide: <http://ucatlas.ucsc.edu/communication/digital divide.php>.

sont extrêmement faibles si on les compare avec celui du Canada, où 78% des ménages avaient un ordinateur en 2007[19]. Ces pays ne pourront jamais pleinement se développer tant que leur population n'aura pas accès aux nouvelles technologies. C'est d'ailleurs ce qui fait dire à Alain Modoux, ancien sous-directeur général de l'Organisation des Nations unies pour l'éducation, la science et la culture (Unesco): « Mais l'ampleur de la fracture numérique est telle que sa réduction exige un immense effort solidaire de la part des pays industrialisés, comme elle demande aussi la mise en place d'un nouveau partenariat réunissant, autour d'un objectif commun, les acteurs politiques, économiques et sociaux du Nord et du Sud. C'est à ce prix que l'on pourra éviter que ne se constitue en marge d'une minorité privilégiée, les "infos-riches", un gigantesque "ghetto cybérien", où seraient relégués les millions d'individus exclus de la société d'information, les "infos-pauvres", nouveaux ilotes du XXIe siècle[20]. »

Pendant ce temps, dans les pays riches, on consacre des milliards aux jeux vidéo, des applications qui font appel essentiellement aux mêmes technologies que l'ordinateur personnel. Avec un chiffre d'affaires de 28,7 milliards de dollars américains, l'industrie du jeu vidéo dépasse même maintenant en importance celle du film (27 milliards de dollars américains)[21].

Les jeux vidéo

Lors du salon E3 (Electronic Entertainment Expo) qui s'est tenu au début juin 2009, à Los Angeles, les créateurs du studio montréalais d'Ubisoft y étaient attendus avec impatience: « Ubisoft présentera les premières images en action du cinquième jeu de la franchise Splinter Cell (*Conviction*), dont les quatre titres précédents ont été vendus à

---

19. Statistique Canada, *Le Quotidien*, « Enquête sur les dépenses des ménages », 22 décembre 2008: <http://www.statcan.gc.ca/daily-quotidien/081222/dq081222a-fra.htm>.

20. A. Modoux, « La "fracture numérique" peut conduire à la création dans les pays en développement d'un gigantesque "ghetto cybérien", dans H. Fisher (dir.), *Les défis du cybermonde*, Québec, Presses de l'université Laval, 2003, p. 209.

21. Site Reuters UK: <http://uk.reuters.com/article/technologyNews/idUKTRE54S61W20090529>.

19 millions d'exemplaires. Le studio fera également une démonstration d'*Assassin's Creed* 2, une suite qui doit chausser de grands souliers: 8 millions d'unités du jeu original ont trouvé preneurs, ce qui en fait la nouvelle franchise la plus populaire de la décennie. Un autre projet d'envergure risque de faire parler du studio montréalais. Il s'agit d'*Avatar*, jeu créé en parallèle avec le nouveau film de James Cameron (son premier depuis *Titanic*, en 1997). Ubisoft profitera du E3 pour faire la démonstration du jeu en stéréoscopie, c'est-à-dire en trois dimensions (avec les fameuses lunettes)[22]. »

Avant d'en arriver là, le jeu vidéo a connu des origines beaucoup plus modestes. Même si d'autres avant lui avaient pensé au concept de jeu vidéo, Thomas T. Goldsmith Jr. et Estle Ray Mann dès 1947 et Ralph Baer en 1951, c'est à A. S. Douglas, un doctorant de l'université de Cambridge, que revient le mérite d'avoir inventé le premier jeu vidéo interactif. En 1951, il crée un programme qu'il baptise *Noughts and Crosses*, un jeu OXO (*tic-tac-toe*) qui utilise un écran cathodique capable d'afficher 35 sur 16 pixels, branché à EDVAC, le premier ordinateur véritablement programmable; permettant à un joueur de se mesurer à l'ordinateur, son but est d'illustrer la possibilité d'interaction entre l'homme et la machine[23]. Suivront les jeux *Tennis for Two* de Willy Higginbotham en 1958 et *Spacewar*, une idée de trois étudiants du Massachusetts Institute of Technology (MIT), Martin Graetz, Stephen Russell et Wayne Wiitanen, en 1961. En 1967, Ralph Baer revient avec son idée originale d'utiliser l'écran d'un téléviseur comme support visuel pour le jeu *Chase*. De ces pionniers, seront issues les premières consoles domestiques pour jeux vidéo, Magnavox Odyssey et Atari. Soulignons que l'utilisation du téléviseur comme écran de jeu est la solution qu'adoptent également Nintendo et Sega dans les années 1980 comme modèle d'affaires pour les consoles de jeu domestiques.

Suivront ensuite les jeux d'arcade. Cette industrie naît en 1971 avec *Computer Space*, un jeu dérivé de *Spacewar*. Œuvre de Nolan Bushnell et Ted Dabney, ce premier jeu d'arcade n'est pas un succès. En 1972, persuadés du potentiel commercial du jeu d'arcade, Bushnell

22. H. Fontaine, « Ubisoft Montréal sort le grand jeu. L'entreprise se prépare à la grand-messe du jeu vidéo, à Los Angeles», *La Presse*, 1er juin 2009, cahier «Affaires», p. 1. En ligne: <http://technaute.cyberpresse.ca/jeux-video/200906/01/01-861740-ubisoft-montreal-sort-le-grand-jeu.php>.

23. Site PONG-Story: <http://www.pong-story.com/>.

et Dabney fondent la compagnie Atari; leur premier jeu, *Pong*, un jeu de ping-pong conçu par Bushnel et Alan Alcorn, est un succès immédiat. Au cours des années 1970, 1980 et une partie des années 1990, les jeux d'arcade publics se développent à une vitesse phénoménale, de *Tank*, un jeu de combat, en 1974, jusqu'à *Rush* 2049, un jeu de course, en 1994, et bien d'autres. L'arrivée des consoles domestiques modernes interrompt cette série de succès. En 1999, Atari Games, la division chargée de la commercialisation des jeux d'arcade, est renommée Midway Games West, qui délaisse finalement ce marché en 2001 pour se consacrer au développement de jeux vidéo pour la maison. En février 2009, Sega, qui gère toujours quatre cent cinquante arcades publiques au Japon, annonce la fermeture de cent dix d'entre elles[24]. L'avenir du jeu vidéo n'est plus dans les arcades publiques.

Ce sont les consoles domestiques modernes et les ordinateurs personnels qui prennent la relève. Pour ce qui est des consoles, cinq géants s'affrontent: Microsoft, NEC, Nintendo, Sega et Sony; ils ne survivront pas tous. Nintendo, la plus importante encore aujourd'hui, est la première à exploiter ce marché en 1985 avec sa console NES. Sa popularité immédiate se traduira en soixante millions d'unités vendues, avec des jeux tels *Mario* et *Zelda*, dont les aventures se poursuivent encore aujourd'hui dans de tout nouveaux jeux[25]. Sega, déjà présente dans l'industrie du jeu d'arcade, ne reste pas impassible devant ce succès; elle lance elle aussi une console domestique, la Sega Master, en 1986. Mais la position de Nintendo aux États-Unis est trop forte, et la Sega n'arrive pas à percer; elle connaît cependant le succès en Europe. Il en va tout autrement pour sa seconde génération de console, la Sega Genesis; de 1989 à 1991, c'est elle qui domine le marché des consoles de jeu. Nintendo répond à cette menace avec la SNES (Super NES) en 1991; elle arrive à en vendre quarante-neuf millions d'exemplaires. NEC tente sa chance en 1987 avec la PC-Engine, commercialisée sous le nom de TurboGraphx-16 aux États-Unis; NEC arrive à s'imposer au Japon, son marché national, mais il en va tout autrement ailleurs dans le monde. Plusieurs modèles suivront, mais, malgré leur supériorité technologique sur les modèles concurrents, NEC n'arrive pas à se tailler

24. Site Game Life: <http://www.wired.com/gamelife/2009/02/sega-layoffs/>.

25. Site Nintendo: <http://www.nintendo.com/corp/history.jsp>.

une part de marché suffisante face à ses principaux concurrents. Elle abandonne ce marché en 2008, mais certains jeux sont encore disponibles avec le service Console Virtuelle de Nintendo. Quant à Sega, après avoir lancé un dernier modèle révolutionnaire, la Dreamcast, en 1999, elle se retire du marché des consoles en 2001, mais continue de produire des jeux vidéo compatibles avec plusieurs plateformes[26].

Sony tente de s'introduire dans le marché des consoles par le biais de partenariats avec Nintendo et Sega. Les deux entreprises ne souhaitent pas développer un produit commun, mais collaborent à la mise au point de la technologie du disque CD comme ajout aux plateformes existantes. Nintendo utilisera même un accessoire manufacturé par Sony, la Playstation ; il permet d'ajouter la fonctionnalité du CD au SNES. L'entente entre les deux entreprises est par la suite dissoute à cause d'une mésentente sur une clause du contrat, et Nintendo se tourne vers Philips pour la production du CD. Toutefois, Sony poursuit seule le développement de sa propre console qui conserve le nom de Playstation ; elle lance le premier modèle en 1994. Il sera suivi de la Playstation 2 en 2000, puis de la Playstation 3 ou PS3 en 2006. Pendant ce temps, chez son rival Nintendo, se sont succédé les modèles Nintendo 64, GameCube et Wii. Reste Microsoft. Bill Gates ne pouvait pas rester à l'écart de l'industrie de la console de jeu, car il est convaincu du caractère essentiel de celle-ci dans la convergence des technologies ; d'ailleurs, Microsoft est déjà présente dans l'industrie du jeu par le biais de titres comme *Flight Simulator,* encore vendu aujourd'hui, et *Fury.* L'entreprise lance un premier modèle, la Xbox, en 2001, qui sera suivi de la Xbox 360 en 2005 ; au printemps 2009, des rumeurs annoncent la sortie de la Xbox 540. En juin 2009, on estime le marché mondial des consoles de jeu à 11,3 milliards $US en 2010[27] ; les enjeux financiers sont donc énormes. En janvier 2009, le marché est réparti comme suit : Nintendo a vendu au total 18,38 millions de Wii, Microsoft, 14,17 millions de Xbox 360, et Sony, 6,99 millions de PS3[28].

Passons maintenant aux jeux qui utilisent l'ordinateur personnel comme plate-forme. La grande variété de jeux offerts pour les ordi-

---

26. Site Sega : <http://www2.sega.com/corporate/corporatehist.php>.

27. Site Softpedia : <http://news.softpedia.com/news/Game-console-revenue-will-rise-to-11-3-Billion-in-2010-1920.shtml>.

28. Site TG Daily : <http://www.tgdaily.com/content/view/41433/98/>.

nateurs de type Wintel, c'est-à-dire ceux qui utilisent un système d'exploitation Windows et une architecture Intel ou compatible avec celle-ci, est en fait un des éléments qui ont consacré la suprématie du PC (IBM ou compatible) sur le Mac (Apple); les autres sont le large éventail d'applications disponibles sur le PC, mais non sur le Mac, et l'architecture «ouverte» du PC, qui a permis à plusieurs fabricants d'offrir des ordinateurs compatibles avec ceux d'IBM, alors qu'Apple était la seule entreprise à commercialiser des Mac.

Même si des jeux simples sont apparus dans les années 1970 pour la génération d'ordinateurs qui a précédé le PC, il faut vraiment attendre ce dernier pour voir s'améliorer la qualité des jeux. Quantité de jeux voient le jour dans les années 1980; parmi les pionniers, on peut mentionner *Zork* (1981), *Microsoft Flight Simulator* (1982) et *SimCity* (1989), car ils ont véritablement lancé la pratique du jeu sur le PC. C'est toutefois l'arrivée de Windows 95 et celle de micro-ordinateurs dotés de cartes graphiques performantes qui permettent à l'industrie du jeu PC de véritablement se développer. En 1995, Westwood est parmi les premières entreprises à exploiter ce potentiel avec *Command & Conquer*, un jeu de stratégie militaire qui remporte le prix du meilleur jeu de 1995 (Computer Game Review), celui du meilleur jeu d'ordinateur de l'année 1995 (Strategy Plus) et celui de meilleur jeu de stratégie (PC Gamer). C'est le début d'une longue série encore très populaire aujourd'hui avec des jeux tel *Command & Conquer Red Alert* 3, disponible sur les plateformes PC, Playstation 3 et Xbox 360. Bien d'autres jeux ont également fait leur marque en connaissant une grande popularité: *Wing Commander*, *Half Life*, *Tribes*, *Warcraft*, *Dune* et *Civilization*. Aujourd'hui, la plupart des jeux peuvent être utilisés en mode local, contre l'ordinateur, ou en mode interactif sur internet, contre d'autres joueurs sur la planète.

Mentionnons ici en passant, mais nous y reviendrons, le jeu de rôle en ligne massivement multijoueur, mieux connu sous le sigle MMORPG (*massively multiplayer online role-playing game*); cette évolution du jeu vidéo en consacre l'aspect social et participe donc à l'interactivité des autres applications du Web 2.0, telles que Facebook et Twitter.

Aujourd'hui, le jeu vidéo est devenu un produit de consommation courant. Selon le Groupe NPD, une importante firme de sondage et de recherche marketing spécialisée dans l'industrie du divertissement, «près de deux Américains sur trois (63%) ont utilisé un jeu vidéo au cours des six derniers mois. Bien que le taux de pénétration ne commence pas à rivaliser avec l'écoute de musique, quasi universelle (94%), il dépasse le pourcentage de consommateurs américains qui mentionnent le fait de sortir au cinéma (53%), au cours de cette même période. Le jeu bénéficie également de nouvelles façons de jouer. Globalement, 10% des consommateurs américains ont utilisé un jeu vidéo sur un réseau social. Cinq pour cent ont payé pour télécharger un jeu vidéo sur le Web, ce qui représente une augmentation de près de 2% depuis l'année dernière[29]. »

Une autre étude, réalisée cette fois par l'Entertainment Software Association (ESA), révèle que l'utilisation du jeu vidéo n'est plus limitée à une seule catégorie démographique, les jeunes en l'occurrence. Plus précisément, aux États-Unis, 42% des foyers possèdent une console de jeu, l'âge moyen des joueurs est de trente-cinq ans, davantage de joueurs adultes commencent à pratiquer cette activité et 43% des adeptes du jeu en ligne sont de sexe féminin[30].

Nous vivons l'âge d'or du jeu vidéo, devenu véritable phénomène social, prenant chez certains une importance capitale. Pourquoi en est-il ainsi? Serait-ce parce que le jeu constitue un monde parallèle au sein duquel on peut tout oublier? On peut le croire, car la pratique du jeu vidéo affecte la perception du temps. C'est un sujet dont nous traiterons lorsque nous aborderons les attentes envers les technologies. Pour l'instant, penchons-nous sur un phénomène technologique, le perfectionnement des composantes, car il a eu des conséquences décisives sur l'évolution de la technologie et celle de notre société.

Le perfectionnement des composantes

Le perfectionnement des diverses composantes informatiques s'est fait, en général simultanément, sur deux plans: la miniaturisation et l'augmentation exponentielle des performances. Cela a entre autres eu pour effet l'évolution du micro-ordinateur en ordinateur portable et de la console de jeu domestique en console portative. Il est inutile pour les

29. Communiqué de presse du Groupe NDP, 20 mai 2009, <http://www.npd.com/press/releases/press_090520.html>.

30. Site E3 Expo: <http://e3expo.com/press/post/521/sixty-eight-percent-of-u-s-households-play-computer-or-video-games>.

besoins de cet ouvrage de faire l'historique de ces deux technologies. Nous restreindrons donc notre analyse aux deux aspects du perfectionnement mentionnés et à leurs conséquences.

Pour illustrer de façon vraiment frappante les deux aspects de ce phénomène d'amélioration, rappelons que, en 1945, ENIAC, le premier ordinateur numérique, électronique et programmable, occupait un étage complet et pesait 30 tonnes courtes, soit un peu plus de 27 tonnes métriques. Or, en 1975, l'ordinateur IBM 5100, doté d'un écran monochrome encastré de 5 pouces, d'un processeur IBM d'une vitesse de 1,9 MHz, de 64 Ko de mémoire vive, d'un clavier et d'une cartouche à ruban magnétique de 200 Ko, est l'un des premiers ordinateurs, disons, de petite taille, car on ne parle pas encore de micro-ordinateur; plus puissant que l'ENIAC, il pèse « seulement » 25 kilos[31]. La complète intégration de ses composantes en une seule unité et son poids plutôt modeste, pour l'époque, le qualifient de premier ordinateur sinon portable, du moins transportable. Il est extrêmement difficile de comparer la performance de ces deux machines, car elles sont trop différentes. Sur le plan du poids, cependant, le gain est faramineux: le poids du IBM 5100 n'est même pas le millième de celui d'ENIAC.

Six ans plus tard, lorsque IBM présente à la presse le modèle 5150, son premier ordinateur personnel (PC), sa fiche technique a déjà été considérablement améliorée; il est doté d'un processeur Intel 8088 d'une vitesse de 4,77 MHz, de 256 Ko de mémoire vive et 40 Ko de mémoire morte (ROM), et de deux disquettes de 160 Ko chacune[32]. L'amélioration de la vitesse du processeur est de plus de 250%, celle de la capacité de mémoire, de plus de 460%, et celle de la capacité de stockage, de 160%. Le progrès est énorme en seulement six ans. Quant au poids, l'IBM 5150, sans clavier ni écran puisque ces éléments ne sont pas intégrés, ne pèse que 12,7 kilos, incluant deux lecteurs de disquettes, soit à peine plus de la moitié de l'IBM 5100.

Depuis l'avènement de la microélectronique, les gains en vitesse de traitement et en dimension se font de façon exponentielle. Dans un article publié dans la revue *Electronics* en 1965, Gordon Moore, cofondateur d'Intel, prédisait l'augmentation du nombre de composantes sur

---

31. Site Oldcomputers.net: <http://oldcomputers.net/>.

32. Site IBM, <http://www-03.ibm.com/ibm/history/exhibits/pc25/pc25_fact.html>.

une puce; il estimait alors que ce nombre doublerait chaque année, un facteur de croissance qu'il révisera ensuite à environ 18 mois[33]. Ainsi, en 1965, on trouve entre 50 et 60 transistors sur une puce, un nombre qui atteindra 29 000 en 1978 avec le processeur Intel 8086, virtuellement identique au 8088, qui équipera le premier IBM PC modèle 5150. Intel atteint 134 000 avec le 286 en 1982, 1 200 000 avec le 486 en 1989, 3 100 000 avec le Pentium en 1993, 4 200 000 avec le Pentium 4 en 2000 et 592 000 000 avec l'Itanium 2 en 2004[34].

Le même phénomène s'observe du côté des puces de mémoire, dont la capacité de stockage a également explosé. Le premier PC disposait de 256 Ko de mémoire, alors que les micro-ordinateurs actuels peuvent être d'une mémoire allant jusqu'à 16 Go, soit 64 fois plus. Il en va de même pour la capacité de stockage; de la disquette d'une capacité de 160 Ko, on est passé à des disques rigides de 2 To, soit deux milliards de Ko, une capacité 12,5 millions de fois plus grosse. Ces chiffres auront sans doute été dépassés au moment de la publication de ce livre.

Moore est un visionnaire. Déjà en 1965, il écrit dans l'introduction de son texte: « L'avenir de l'électronique intégrée est l'avenir de l'électronique elle-même. Les avantages de l'intégration permettront la prolifération de l'électronique, propulsant cette science dans plusieurs nouveaux domaines. Les circuits intégrés conduiront à des merveilles tel l'ordinateur domestique — ou à tout le moins à des terminaux reliés à un ordinateur central —, à des contrôles automatiques pour les automobiles et à des équipements de communication portatifs. Aujourd'hui, il ne manque que l'écran à la faisabilité de la montre-bracelet électronique. Mais le potentiel le plus important réside dans la production de systèmes de grande taille. Dans les communications téléphoniques, des circuits intégrés dans des filtres digitaux sépareront les canaux de l'équipement de multiplexage. Des circuits intégrés commuteront également les circuits téléphoniques et effectueront du traitement des données. Les ordinateurs seront plus puissants et organisés de façons complètement différentes. Par exemple, les mémoires construites avec

---

33. G. Moore, « Cramming more components onto integrated circuits », *Electronics*, vol. 38, nº 8, 19 avril 1965, p. 114-117; <ftp://download.intel.com/museum/Moores_Law/Articles-Press_Releases/Gordon_Moore_1965_Article.pdf>.

34. Site Intel: <http://download.intel.com/museum/Moores_Law/Printed_Materials/Moores_Law_Backgrounder.pdf>.

des circuits électroniques intégrés pourront être distribuées dans toute la machine plutôt que concentrées dans l'unité centrale. En outre, la fiabilité accrue rendue possible par des circuits intégrés permettra la construction d'unités de traitement plus grosses. Des machines similaires à celles existant aujourd'hui seront construites à moindre coût et plus rapidement[35]. » En gros, on peut répartir en deux catégories les effets de ces technologies. D'une part, ce que nous examinerons dans le chapitre suivant, elles accroissent la mobilité des gens, leur permettant de communiquer facilement pendant leurs déplacements, tant dans la sphère professionnelle que personnelle. D'autre part, elles ont envahi la vie de tous les jours, transformant les objets d'usage courant et permettant la création de nouveaux objets. Pour l'instant, penchons-nous sur leur impact dans la vie de tous les jours.

Tout ce que Moore a prédit s'est réalisé, et même davantage. L'ordinateur domestique fait maintenant partie des objets courants, malgré les écarts dans l'accès à cette technologie. Comme il le prédisait, la mémoire de ces ordinateurs est maintenant distribuée plutôt que limitée à l'unité centrale; par exemple, la carte graphique ATI HD 4870 est dotée d'un processeur comptant 956 millions de transistors et d'une mémoire de 2 Go.

Considérons maintenant les transformations qu'ont subies quelques objets que nous utilisons quotidiennement. Commençons par le réfrigérateur. Inventé à la fin du dix-neuvième siècle par Jacob Perkins, ce n'est qu'après la seconde guerre mondiale que cet appareil envahit les foyers: « En 1950, plus de 80 pour cent des familles rurales et plus de 90 pour cent des familles urbaines possédaient un réfrigérateur[36]. » C'est déjà une révolution; des produits jusqu'alors considérés comme un luxe, la glace parfumée, par exemple, sont maintenant à la portée de la classe moyenne. En outre, le réfrigérateur facilite la conservation des denrées périssables qui, auparavant, nécessitait des chambres froides ou de petits meubles dont la réfrigération était assurée par des blocs de glace coupés sur les lacs gelés l'hiver et vendus par des marchands locaux. Les premiers réfrigérateurs demandaient un entretien

35. G. Moore, art. cit., p. 114.

36. Site University of Mary Washington : <http://www.umw.edu/hisa/resources/Student%20Projects/Carol%20Haley%20—%20Refrigerator/students.mwc.edu/_chale6kt/FRIDGE/index-2.html>.

périodique pour faire fondre la glace formée par la condensation sur les parties les plus froides, entre autres sur la boîte de congélation alors placée à l'intérieur de la section réfrigérée et sur les circuits de refroidissement ; même aujourd'hui, certains réfrigérateurs requièrent toujours cet entretien. L'automatisation du déglaçage a été un progrès important, libérant de cette tâche ingrate ; ce progrès avait cependant un prix, l'augmentation de l'énergie requise pour le déglaçage à cause de l'inefficacité de contrôles mécaniques. L'ajout d'un microprocesseur capable d'analyser le contexte d'utilisation, la fréquence d'ouverture de la porte ou encore la température et le taux d'humidité extérieurs, par exemple, a permis de réduire la fréquence du déglaçage et par conséquent la demande en énergie.

Jusque-là, on constate un avantage pour le consommateur, soit sur le plan de la fonctionnalité, soit sur celui des dépenses de fonctionnement. Les choses se présentent différemment depuis les années 1990 ; plusieurs fabricants ont tenté d'introduire sur le marché des appareils « intelligents », entre autres, un réfrigérateur capable d'inventorier son contenu et de commander automatiquement les denrées manquantes au supermarché en utilisant un lien internet. Ce rêve n'est pas près de se réaliser, sauf peut-être pour quelques individus particulièrement innovateurs, et fortunés, sans cesse à la recherche de nouveaux gadgets. Une étude de marché commanditée par plusieurs grandes entreprises, parmi lesquelles Whirlpool, Cisco Systems, Direct Energy, Hewlett-Packard, Microsoft, Procter & Gamble et Zensys, révèle que « les consommateurs du marché de masse n'ont presque aucun intérêt à utiliser la "technologie" pour l'"automatisation" ou le "contrôle" de la maison[37] ». Aucun manufacturier ne se lancera dans cette aventure sans avoir l'assurance que ses efforts seront couronnés de succès financier, en particulier dans le contexte actuel de crise économique mondiale, une évidence que confirme Carol Priefert, directeur senior du groupe technologie de Whirlpool : « Whirlpool est une entreprise de masse. Je ne mets pas de produits sur le marché avant qu'il existe un marché de masse[38]. »

---

37. Site *The New York Times* : <http://bits.blogs.nytimes.com/2009/01/06/the-smart-home-is-still-looking-for-a-market/?scp=1&sq=smart%20 refrigerator &st=cse>.

38. *Ibid.*

Considérons maintenant l'automobile, qui est un des secteurs qui ont le plus profité de l'apport du circuit intégré. C'est d'abord la Formule 1, le banc d'essai de l'automobile, qui, dans les années 1970, a commencé à utiliser ces technologies, entre autres pour analyser le travail des suspensions et la température des pneus. Aujourd'hui, les applications sont innombrables et elles ont fait leur chemin dans les voitures de série. Des systèmes intelligents ont permis d'améliorer considérablement la sécurité de véhicules : antidérapage, freins antiblocage et contrôle de la stabilité, par exemple. En cas de collision, des capteurs détectent la force de l'impact et déclenchent automatiquement les sacs gonflables. D'autres systèmes permettent de gérer la consommation de carburant et de surveiller la pression des pneus. Côté motorisation, des ordinateurs, simples cartes de circuits imprimés, contrôlent le mélange air/carburant et la levée électrique des soupapes, réduisant la consommation et les émissions de gaz polluants. Un régulateur de vitesse facilite la conduite en évitant au conducteur de constamment surveiller la vitesse du véhicule. Des capteurs détectent la pluie et mettent en marche les essuie-glaces, ou encore l'obscurité et allument les phares, sans que le conducteur n'intervienne. Bref, grâce aux circuits intégrés, les voitures d'aujourd'hui sont beaucoup plus sécuritaires et conviviales que celles des années 1950.

Mais les fabricants de voitures utilisent également la technologie en général, incluant celle des circuits intégrés, pour différencier leurs produits de ceux de leurs concurrents, pour augmenter la marge de profit réalisée sur la vente d'un véhicule et pour générer d'autres revenus. Prenons l'exemple des ordinateurs de bord qui établissent un diagnostic des différentes composantes de la voiture et affichent à chaque démarrage un message quant à la nécessité d'un entretien. C'est un excellent gadget à faire valoir auprès du client qui veut que le poste de « pilotage » de son véhicule s'apparente le plus possible au cockpit d'un avion à réaction, mais il laissera indifférent l'acheteur moyen. Cet ajout permet pourtant au manufacturier d'augmenter le prix de vente du véhicule d'un montant bien supérieur au coût additionnel du gadget en question. Par ailleurs, si pour certains le message de l'ordinateur est un incitatif à se présenter chez le concessionnaire pour faire effectuer l'entretien requis, pour d'autres, qui préfèrent effectuer le travail eux-mêmes ou encore le confier à un mécanicien de leur choix, ce sera plutôt un irritant, car certains fabricants ont volontairement rendue difficile la désactivation des messages en question[39]. La réduction des coûts de fabrication et l'accélération du processus de production prédites par Moore sont également des réalités; elles ont malheureusement servi à l'essor de la société d'hyperconsommation.

De la société de consommation à la société d'hyperconsommation

La technologie améliore la vie de tous les jours en produisant des objets de consommation utiles, plusieurs diront indispensables. Pensons à la facilité qui est nôtre quand il s'agit de laver la vaisselle ou les vêtements; des machines, au cœur desquelles se trouvent des microprocesseurs programmables à l'aide de quelques touches, se chargent d'exécuter pour nous des tâches que nos grands-mères mettaient des heures à exécuter. N'en déplaise à certains, le confort matériel n'est ni une tare ni une honte; il fait partie des petits plaisirs de la vie. Le phénomène est universel; lorsqu'un pays devient économiquement plus riche, on voit tout de suite sa population se tourner vers la consommation de toutes sortes de produits et services qui agrémentent l'existence. Ce qui est mauvais, ce n'est non pas la consommation en soi, mais les excès de la consommation, qui nous ont conduits à une société d'hyperconsommation; ces excès, on les constate tant chez les consommateurs que chez les producteurs.

Parmi les premiers, certains achètent un peu n'importe quoi, sans compter, jusqu'à s'endetter bien au-delà de leur capacité à rembourser; c'est le phénomène d'hyperendettement, qui accompagne celui d'hy-

---

39. Ainsi, pour notre propre voiture, j'ai dû chercher sur internet la procédure à suivre, car même mon garagiste ne comprenait pas les explications du concessionnaire. Pour désactiver le message, on doit: 1) avec un doigt de la main gauche, presser le bouton de remise à zéro de l'odomètre et le maintenir enfoncé pendant tout le processus; 2) tourner la clé à la position I pendant une seconde, puis à la position II pendant trois secondes; 3) le «I» du bouton «Information» commencera alors à clignoter; 4) laisser le «I» clignoter seulement trois fois et relâcher le bouton de l'odomètre. C'est tout simple, comme on peut voir! Il suffisait d'y penser. Que personne ne vienne me dire que l'objectif visé n'est pas d'attirer le client chez le concessionnaire. L'ordinateur de bord est donc générateur de revenus pour le manufacturier; on ne devrait pas le vendre au client, mais plutôt payer ceux qui acceptent de l'utiliser.

perconsommation. La technologie des circuits imprimés a permis de générer à faible coût une quantité phénoménale de nouveaux produits qui n'ont cessé de croître en sophistication : lecteurs de musique, caméras numériques, lecteurs de livres électroniques (eBooks), consoles de jeu vidéo domestiques et portables, ordinateurs portables de plus en plus petits (mini notebooks), sans compter les nombreux jouets électroniques pour enfants, tel le Studio digital Arts & Crafts de Fisher-Price[40], et j'en passe. À elle seule, l'abondance de nouveaux produits a entraîné une surconsommation ; les améliorations technologiques, quant à elles, en ont incité plusieurs à changer de modèle pour bénéficier des derniers perfectionnements. Ainsi, alors que certains consommateurs en sont toujours à l'ère de la pellicule — eh oui, il y en a encore —, d'autres en sont maintenant à leur troisième caméra numérique. C'est ainsi que les gens se sont surendettés.

Et, pendant que certains achètent sans compter tous les gadgets technologiques, s'endettant même pour satisfaire leur envie de nouveauté, d'autres, comme nous l'avons vu, sont technologiquement dépourvus, ne pouvant financièrement se permettre ce luxe. Exception faite de quelques efforts consentis par certaines entreprises pour desservir les pays en développement avec des technologies abordables, dans l'ensemble, les marchés pauvres n'attirent pas les producteurs. Ceux-ci sont soumis aux exigences tyranniques des investisseurs, lesquels réclament, année après année, des rendements de plus en plus élevés sur leurs investissements. Pour les entreprises, cela se traduit bien sûr par une augmentation continuelle non pas du volume des profits, mais du pourcentage de ces profits calculé en fonction des ventes. Bien qu'inique, voire immorale, cette exigence des investisseurs participe au phénomène de la société d'hyperconsommation.

Aucune entreprise au monde ne peut augmenter le pourcentage de ses profits année après année sans que cela n'ait un effet sur le marché et sur l'entreprise elle-même. Une augmentation du volume des ventes, même si elle contribue à augmenter le total des profits, ne peut à elle seule permettre à une entreprise de hausser continuellement le ratio des profits sur les revenus ; bien sûr, à court terme, d'être plus efficace permettra de vendre davantage sans coûts additionnels, mais il y a des

40. Site Fisher-Price : <http://www.fisher-price.com/fp.aspx?st=5626&e=digitalstudio-product>.

limites à l'efficacité. Seulement deux avenues sont possibles pour atteindre l'objectif peu louable d'augmentation continuelle du pourcentage de profits : une augmentation du prix de vente ou une réduction des dépenses. Or, une augmentation injustifiée et répétée du prix est une stratégie qui peut fonctionner seulement dans les industries au sein desquelles prédomine un monopole ou un oligopole[41] ; dans celles où existe une véritable concurrence, cette dernière exerce un effet modérateur sur la hausse des prix.

C'est pourquoi plusieurs sociétés ont d'abord privilégié la réduction des dépenses, soit par une fusion, soit par réduction des effectifs ; dans les deux cas, les mises à pied massives qui résultent sont injustifiées, voire nuisibles à l'entreprise, car elles sont strictement motivées par l'appât du gain à court terme plutôt que par les principes d'une saine gestion visant le développement à long terme de l'organisation et le bien-être de sa ressource la plus précieuse, ses employés. Cela dit, le développement technologique a également favorisé l'émergence d'oligopoles ; depuis les années 1990, les coûts exorbitants de la recherche dans le domaine de la haute technologie et le taux d'échec élevé dans la mise en marché de nouveautés ont causé un nombre record de fermetures de grandes sociétés naguère très prospères — Compaq, Control Data Corporation (CDC), Data General et Digital Equipment Corporation (DEC), par exemple —, et une concentration de l'offre de certains produits.

Ainsi, au premier trimestre 2009, deux grandes sociétés contrôlaient près de 92% du marché mondial des microprocesseurs utilisés dans les ordinateurs personnels : Intel (79,1%) et AMD (12,8%)[42]. Ce « duopole », couplé à une stratégie de prix d'écrémage, permet à ces deux larrons de maintenir un prix anormalement élevé pour leurs plus récentes technologies. Cependant, heureusement pour le consommateur moyen qui ne tient pas absolument à avoir un ordinateur faisant appel aux composantes les plus performantes du dernier modèle, la concurrence dans le domaine de l'ordinateur personnel, de maison ou portable,

41. Dans le premier cas, pensons au marché de la téléphonie au Canada, contrôlé par une seule entreprise avant la déréglementation qui a permis une concurrence saine. Dans le second cas, pensons à l'industrie du pétrole, contrôlée par ce qu'il convient d'appeler un cartel composé de quelques grandes sociétés.

42. Site Purchasing.com : <http://www.purchasing.com/article/ca6664307.html>.

a fait chuter le prix des modèles grand public. En juin 2009, on peut acheter à Montréal un ordinateur de maison ou portable pour moins de 700 $CAN ; au même moment, à Paris, on trouve des appareils similaires pour 500 euros. Un constat s'impose: le coût d'un ordinateur est plus élevé à Paris qu'à Montréal, puisqu'au taux de conversion en vigueur le 12 juin 2009 la somme de 700 $CAN correspond à un peu moins de 460 euros. Voyez-vous, c'est que les fournisseurs d'équipement ajustent leur prix en fonction de ce qu'ils estiment être un prix acceptable selon le marché local.

Cela dit, comme l'avait prédit Moore, le coût des circuits intégrés décroît au fur et à mesure que leur performance augmente; dans un marché en concurrence, c'est ce qui permet au consommateur d'acheter un ordinateur au prix que nous venons de citer alors qu'il lui fallait débourser de trois à cinq fois plus pour en acquérir un moins puissant dans les années 1990. En fait, cette diminution du coût des circuits intégrés a permis de réduire les coûts de fabrication... mais pas suffisamment pour atteindre les objectifs irréalistes de croissance du pourcentage des profits sur les ventes année après année. C'est pourquoi on s'est tourné vers des solutions « élégantes » telles les mises à pied ou carrément la fermeture d'usines pour en transférer la production dans des pays où la main-d'œuvre est sous-payée.

Le perfectionnement du produit par l'ajout de caractéristiques et l'augmentation des performances est une autre avenue dans laquelle s'engagent les fabricants pour inciter à l'achat et maintenir le prix élevé d'un produit. Parfois, la modification a une réelle utilité pour le consommateur, mais la plupart du temps elle n'est destinée qu'à différencier le produit de ceux offerts par les firmes concurrentes. Quant à l'ancien produit de haute performance, on le repositionne dans le marché de masse en en abaissant le prix. Ainsi, talonnée par la concurrence, Apple a récemment annoncé le lancement d'une nouvelle version plus performante du iPhone 3G, le 3GS; de même, l'entreprise abaisse le prix du premier à 99 $US alors que le nouveau se vendra 199 $US ou 299 $US, selon le modèle[43]. L'utilisateur moyen qui possède actuellement un iPhone 3G a-t-il vraiment besoin des fonctionnalités du nouveau modèle? Pas du tout! Mais sans grand risque de se

43. Site Apple Store: <http://store.apple.com/us/browse/home/shop_iphone/family/iphone>.

tromper, on peut gager qu'un bon nombre d'utilisateurs voudront changer de modèle, ne serait-ce que pour projeter d'eux-mêmes une image techno.

Que ce soit par le désir de nouveauté des consommateurs ou par les tentatives des entreprises pour maximiser leur marge de profits, le développement des technologies de l'informatique a jusqu'à maintenant favorisé la naissance et la croissance d'une société fondée sur l'hyperconsommation. Pourrait-il en être autrement? Bien entendu, car le consommateur n'est pas contraint de surconsommer et le modèle d'affaires actuel des entreprises n'est pas non plus inéluctable. Cependant, l'émergence d'un nouveau paradigme suppose un changement radical des valeurs personnelles et sociétales qui entraînerait une modification des comportements: pour l'individu, une consommation plus réfléchie, et pour l'entreprise, un mode de fonctionnement fondé sur un capitalisme plus responsable.

La perspective que j'évoque est d'ailleurs très similaire à celle de Lipovetsky: «Avec le capitalisme de consommation, l'hédonisme s'est imposé comme valeur suprême et les satisfactions marchandes comme la voie privilégiée du bonheur. Tant que la culture de la vie quotidienne sera dominée par ce système de référence, sauf à affronter un cataclysme écologique ou économique, la société d'hyperconsommation poursuivra irrésistiblement sa course. Mais que de nouvelles manières d'évaluer les jouissances matérielles et les plaisirs immédiats voient le jour, qu'une autre manière de penser l'éducation s'impose, et la société d'hyperconsommation fera place à un autre type de culture. La mutation à venir sera portée par l'invention de nouveaux buts et sens, de nouvelles perspectives et priorités dans l'existence. Lorsque le bonheur sera moins identifié à la satisfaction du plus grand nombre de besoins et au renouvellement sans borne des objets et des loisirs, le cycle de l'hyperconsommation sera clos. Ce changement socio-historique n'implique ni renoncement au bien-être matériel, ni disparition de l'organisation marchande des modes de vie; il suppose un nouveau pluralisme des valeurs, une nouvelle appréciation de la vie cannibalisée par l'ordre de la consommation versatile[44].»

La crise économique actuelle pourrait être l'élément déclencheur du changement de paradigme qu'évoque Lipovetsky. Permettez-moi

44. G. Lipovetsky, *Le bonheur paradoxal*, Paris, Gallimard, 2006, p. 335.

cependant d'en douter. À un journaliste qui m'interrogeait à l'automne 2008 quant à la possibilité de voir les consommateurs modifier leurs comportements à cause de la crise, j'ai répondu: «À très court terme, le consommateur réduira évidemment sa consommation; l'année 2009 sera celle de l'essentiel. À plus long terme, si la crise se poursuit et qu'elle fait mal, on pourrait voir certaines personnes modifier en profondeur leur comportement d'achat. Si la crise est courte et qu'elle a peu de conséquences néfastes pour l'individu moyen, la consommation reprendra avec autant de vigueur après la crise.»

Les signes avant-coureurs d'une conclusion hâtive à la crise et la spéculation qui s'est à nouveau manifestée sur les places boursières me portent à croire que ni les consommateurs ni les investisseurs n'ont tiré de leçons de la crise. Si on peut se réjouir du fait que celle-ci sera peut-être plus courte et moins grave que prévu, on doit néanmoins s'inquiéter de ce que rien n'a changé dans les comportements; l'hyperconsommation conduira inéluctablement à une autre crise, qui risque fort d'être plus virulente que celle que nous venons de connaître.

Chapitre 3
Les technologies de la communication

La révolution informatique est intimement liée à une autre révolution, celle des communications, qui n'aurait pas pu avoir lieu sans la première. Nous vivons dans une ère de communication, une réalité qui ne pourra que s'accentuer, le phénomène de miniaturisation permettant plus que jamais les communications mobiles. Les outils de communication ont pénétré l'imaginaire collectif. Déjà en 1994, Philippe Breton et Serge Proulx écrivaient « que si le mot "communiquer" était sur toutes les lèvres, à propos de tout et de rien, c'était parce que notre univers quotidien était désormais peuplé de satellites et d'ordinateurs, de nouvelles chaînes de télévision, de minitels, de téléphones, de nouveaux moyens d'information[1] ». Quinze ans ont passé et la prédominance des communications dans le quotidien s'est encore accrue. Si en 2009 le mot « communication » évoque avant tout internet, il ne faut pas oublier que d'autres technologies ont vu le jour avant le web.

1. P. Breton et S. Proulx, *L'explosion de la communication. La naissance d'une nouvelle idéologie*, Montréal, Boréal, 1994, p. 11.

Les communications traditionnelles au vingtième siècle

S'il est né vers la fin du dix-neuvième siècle, le téléphone ne prend véritablement son essor qu'au début du siècle suivant. « Dès les années 1850, des scientifiques s'intéressèrent à la transmission des sons et de la voix à l'aide de l'électricité. À l'été 1874, Alexander Graham Bell discuta de ses théories sur le sujet avec son père, le professeur Alexander Melville Bell, à leur résidence familiale de Brantford (Ontario). Il reçut un brevet pour le téléphone le 7 mars 1876. Contrairement à la croyance populaire, ce n'est pas Alexander Graham Bell qui a introduit le téléphone au Canada — mais son père, le professeur Melville Bell. À l'été 1877, le fils cédait à son père 75 % des droits canadiens sur le téléphone. Alors âgé de 58 ans, Melville Bell avait enseigné toute sa vie. Il dévoila la nouvelle technologie au public, dans le cadre d'une série de conférences[2]. » Avec 2 100 abonnés à travers tout le Canada, le téléphone n'est qu'une curiosité en 1880 ; en 1914, ce nombre a explosé, passant à 237 068.

« L'année 1915 a marqué un point tournant dans l'histoire du téléphone avec le premier appel téléphonique transcontinental. On avait conquis la distance. À New York, Graham Bell, maintenant les cheveux gris, répéta sa phrase célèbre : " M. Watson, venez ici, j'ai besoin de vous." À San Francisco, l'électricien désormais connu répondit : "Cette fois-ci, je crains que cela ne prenne un peu plus de temps, M. Bell !" Montréal et Vancouver furent reliées par téléphone la première fois en 1916, via des circuits canadiens et américains. Des gens s'étaient entassés à l'hôtel Ritz Carlton à Montréal et au Globe Theatre à Vancouver afin d'entendre cette communication historique. Ce furent les débuts de l'ère du service téléphonique industriel. En l'espace d'une seule génération, la paire de téléphones raccordés par ligne privée était devenue un vaste réseau[3]. » Impossible de nier l'importance du téléphone qui a par la suite traversé les mers à l'aide de câbles transocéaniques encore en usage aujourd'hui, même si des satellites de communication perfectionnés permettent maintenant

2. Site Bell Canada : <http://www.bce.ca/fr/aboutbce/history/index.php>.

3. *Ibid.*

d'accroître la bande passante et de réduire le coût d'une communication téléphonique outremer à quelques centimes la minute. Sur le plan personnel, cette technologie a permis à des gens séparés par la distance de rester en contact. Sur le plan des affaires, il a facilité le lien entre les entreprises et leurs clients jusqu'à l'avènement des systèmes de réponse automatisés et du phénomène de l'*offshoring*, ou sous-traitance à l'étranger, qui a eu pour effet de dégrader le service à la clientèle. Aujourd'hui, le téléphone portable est en voie de remplacer la technologie à fil ; déjà, plusieurs ont abandonné la ligne terrestre du domicile au profit du portable.

Cela nous amène à deux inventions visant à transmettre la voix humaine sans faire usage de fil : la radio et le radiotéléphone. Développées dans le prolongement de la télégraphie sans fil, elles font toutes deux appel à des principes similaires. Leur différence réside dans l'objectif : la radio est un média de masse alors que le radiotéléphone est un moyen de communication de personne à personne. C'est un Canadien, Reginald Fessenden, qui est le père de la radio ; le 23 décembre 1900, il transmet un message vocal entre deux antennes séparées par plus d'un kilomètre. La première « émission » radiophonique a lieu la veille de Noël 1904 : « Diffusée des tours de 400 pieds du cabanon de transmission à Brant Rock Massachusetts sur la côte atlantique, cette émission a débuté exactement à 9 heures avec " CQ CQ CQ ", ce qui signifie " appel général à toutes les stations à portée ", envoyé en points et tirets [code Morse]. Puis, au microphone, Reginald a lui-même prononcé quelques mots quant au programme à suivre. Ceci a été immédiatement suivi de la mise sous tension du phonographe d'Edison par un des opérateurs puis d'une voix en solo chantant la pièce " Largo " de Handel [...] Pour conclure l'émission, Fessenden a souhaité à ses auditeurs un " Joyeux Noël ". Le succès de cette première radiodiffusion a été corroboré par les opérateurs [radio], non seulement ceux des navires de la United Fruit Company [alertés pour l'occasion], mais par ceux des bâtiments naviguant dans l'Atlantique sud et nord, ébahis par la magie et le miracle de cette première émission de radio sans fil[4]. »

Quant au radiotéléphone, c'est à Valdemar Poulsen que nous le devons. C'est l'invention de l'émetteur à arc, dispositif plus petit, moins

4. Site Hammond Museum of Radio : <http://www.hammondmuseumofradio.org/fessenden-bio.html>.

complexe et moins coûteux que les émetteurs existants, qui permet la naissance de ce nouveau moyen de communication. Commencés en 1902, les travaux de Poulsen sont divulgués à l'International Electric Congress de Saint-Louis en 1904 ; il construira par la suite une station émettrice à Lyngby, tout près de Copenhague, et l'utilisera pour communiquer à des distances allant jusqu'à 2 500 kilomètres[5]. De l'autre côté de l'Atlantique, Lee De Forest s'intéresse aux travaux de Poulsen ; il conçoit des prototypes avec lesquels il arrive à convaincre la US Navy d'installer ce type d'équipement à bord des navires de sa flotte. Des essais insatisfaisants conduisent au retrait du matériel.

Au même moment, Sir John Ambrose Fleming, un ingénieur anglais, s'intéresse lui aussi aux communications radio : « En 1904, il invente et brevette la lampe à deux électrodes qu'il appelle la valve à oscillations. C'est la première diode, que l'on a appelée aussi la valve thermionique, lampe ou tube à vide, kénotron, ou valve de Fleming. Cette invention a été souvent considérée comme le début de l'électronique. Elle lui a valu la médaille Franklin en 1935[6]. » En 1906, capitalisant sur ses travaux antérieurs et sur ceux de Fleming, Lee De Forest perfectionne ensuite la lampe diode : « Le nouveau tube à vide à trois électrodes (triode) inventé par De Forest amplifie les ondes radio à la réception et rend possible ce qu'on appelait alors "la téléphonie sans fil", qui a permis à la voix humaine, à la musique ou à tout signal de radio diffusé d'être entendus haut et clair[7]. » Sans ces pionniers, l'électronique que nous connaissons aujourd'hui n'existerait pas. Un peu plus tard à leur époque, leurs travaux mènent déjà à l'invention de la télédiffusion.

Si l'idée de transmettre et de capter des images à distance germe à compter de la deuxième moitié du dix-neuvième siècle et met en présence un nombre incalculable d'esprits, ce n'est vraiment que dans les années 1920 qu'apparaissent les premières inventions. En 1923, Vladimir Zworykin invente l'iconoscope, l'élément central des premières caméras de télévision ; en 1929, il présente au monde le

5. Site United States Early Radio History : <http://earlyradiohistory.us/sec009.htm> et <http://earlyradiohistory.us/1908poul.htm>.

6. Site Tecno-science.net : <http://www.techno-science.net/?onglet=glossaire&definition=6727>.

7. Site About.com : <http://inventors.about.com/library/inventors/bldeforest.htm>.

kinescope, le premier écran cathodique[8]. On peut donc dire qu'il a non seulement contribué à la naissance de la télédiffusion, mais également permis celle de l'ordinateur interrogeable et de l'entrée de données en temps réel. Son emploi à la Radio Corporation of America (RCA) explique pourquoi cette entreprise a été la première à envahir nos foyers avec des téléviseurs monochromes. En fait, cette domination est telle que RCA arrive à stopper la première tentative d'introduction de la télévision en couleur par Columbia Broadcasting System (CBS). « En 1940, avant RCA, des chercheurs de CBS sous la direction de Peter Goldmark inventent un système de télévision mécanique en couleur fondé sur les travaux de John Logie Baird en 1928. La FCC [Federal Communications Commission, organisme qui régit les télécommunications aux États-Unis] autorise la technologie de télévision couleur de CBS comme norme nationale en octobre 1950, malgré le fait que le système soit encombrant, [l'image] instable, et ne soit pas compatible avec les anciens postes noir et blanc. RCA intente un procès pour arrêter la télédiffusion publique sur les systèmes de CBS. CBS avait commencé la télédiffusion couleur sur cinq chaînes de la côte est en juin 1951. Toutefois, à ce moment-là, 10,5 millions de téléviseurs noir et blanc (la moitié étant des postes RCA) avaient été vendus au public, contre très peu de postes en couleur. L'interruption de la production de téléviseurs couleur pendant la guerre de Corée, les poursuites et les ventes stagnantes entraînent l'échec du système de CBS. Ces facteurs ont donné à RCA le temps nécessaire pour concevoir un meilleur téléviseur couleur, fondé sur la demande de brevet déposée en 1947 par Alfred Schroeder, pour un CRT à masque [écran cathodique]. Le système reçoit l'approbation de la FCC à la fin de 1953 et les ventes de téléviseurs couleur RCA commencent en 1954[9]. » Au Canada, c'est la Société Radio-Canada qui inaugure cette nouvelle technologie en septembre 1952 avec deux chaînes, CBFT à Montréal et CBLT à Toronto ; la première diffuse en français et en anglais, la seconde, en anglais seulement. Une chaîne privée anglaise, CKSO-TV, s'ajoute à Sudbury en 1953[10].

8. Site About.com : <http://inventors.about.com/od/xzstartinventors/a/Zworykin.htm>.

9. Site About.com : <http://inventors.about.com/library/inventors/blcolortelevision.htm>.

10. Site Radio-Canada : <http://www.cbc.radio-canada.ca/historique/1950s.shtml>.

Outre-Atlantique, John Logie Baird, un Écossais, invente le « Televisor », un récepteur mécanique d'images ; associé au conglomérat Gaumont-British, intéressé par la perspective de présenter des missions dans son gigantesque réseau de salles de cinéma, il commercialise son invention à l'intention des radioamateurs, sous forme de kit à assembler. Dans les années 1930, plus de vingt mille appareils se vendront en Angleterre et en Europe continentale. Malheureusement, le Televisor n'est qu'un gadget destiné aux seuls innovateurs férus de nouvelles technologies que sont les radioamateurs ; en Europe, c'est la technologie de Vladimir Zworykin qui s'impose également comme standard.

En France, des expériences probantes ont lieu dans les années 1930, entre autres sous l'impulsion de René Barthélemy, appuyé par Georges Mandel, alors ministre des PTT (poste, téléphone, télégraphe) ; les émissions comptent alors tout au plus quelques centaines de téléspectateurs ; interrompues pendant la guerre, elles reprennent de plus belle en 1945. La télévision provoque un certain engouement dans la population ; plus de mille postes s'ajoutent pour cette seule année[11]. Cette réussite mène à l'évolution de la RDF (Radiodiffusion française), qui devient la RTF (Radiodiffusion-télévision française) en 1949. « L'ordonnance du 4 février 1959 érige la Radio-Télévision française (RTF) en institution juridiquement autonome. Cependant, directement placé "sous l'autorité" du ministre de l'Information, le statut de monopole est clairement défini dès l'article 1er de l'ordonnance, la RTF étant seule habilitée à "organiser" et "exploiter le réseau des installations de radiodiffusion", mais aussi la programmation, élément essentiel des activités de radio et de télévision. » La RTF deviendra l'ORTF cinq ans plus tard[12].

Tant en Europe qu'en Amérique, l'âge d'or de la télévision s'étend des années 1960 aux années 1990. D'abord diffusées par ondes hertziennes captables par antenne, les émissions sont par la suite retransmises par voie câblée puis par satellite. Dès les années 1990, les avancements technologiques ont un effet multiplicateur sur le nombre de chaînes. À ce propos, voici ce qu'écrit le journaliste Yves Eudes en

---

11. Site Libération : <http://www.liberation.fr/medias/0101216111-histoire-de-la-television-francaise-chronologie>.

12. Site JurisPedia : <http://fr.jurispedia.org/index.php/Office_de_radiodiffusion_t%C3%A9l%C3%A9vision_fran%C3%A7aise_(fr)>.

1996 : « AVANT même d'être effective, l'arrivée des autoroutes électroniques provoque une mutation de l'industrie des programmes de télévision aux États-Unis. Attirés par la promesse d'une infinité de canaux de diffusion, de nombreux entrepreneurs ont anticipé l'évolution technologique et se sont lancés dans la création de nouvelles chaînes par satellite. Pratiquement tous les sujets, tous les thèmes ont maintenant leur canal spécifique. La télévision-kiosque devient une réalité[13]. »

Vue à l'époque comme un pactole par les diffuseurs, la multiplication des chaînes devient vite un cauchemar. Pour les diffuseurs, d'abord, sérieusement affectés par la réduction des revenus tirés de la publicité, la tarte des revenus étant désormais partagée entre un nombre trop élevé de joueurs. Pour les téléspectateurs, ensuite, qui se voient imposer des forfaits comptant un nombre de chaînes exagérément élevé, alors qu'un grand nombre d'abonnés préféreraient la télévision à la carte ; ce mode de facturation est utilisé par les distributeurs par câble et satellite afin de garantir des revenus suffisants aux petites chaînes spécialisées, assurant ainsi artificiellement leur survie.

En outre, une autre menace pèse sur la télévision : depuis le début du ving et unième siècle, on constate une convergence entre celle-ci et un autre média, l'internet. Déjà, certaines émissions sont diffusées sur le web, et on peut d'ores et déjà imaginer le jour où les téléspectateurs délaisseront leur abonnement télé pour ne conserver que l'internet.

La naissance de l'internet

C'est Vannevar Bush, que nous avons déjà rencontré, qui, le premier, énonce les principes des liens hypertexte associatifs essentiels au fonctionnement de l'internet : « Supposons que le propriétaire du “memex” [un nom donné par Bush à une machine dédiée au stockage, au classement et à l'indexation de données] s'intéresse à l'origine et aux propriétés de l'arc et de la flèche. Plus précisément, il cherche pourquoi l'arc court turc était apparemment supérieur à l'arc long anglais pendant les combats des Croisades. Il existe peut-être des dizaines de

13. Y. Eudes, « Des chaînes de télévision par centaines », *Le monde diplomatique*, mars 1996, <http://www.monde-diplomatique.fr/1996/03/EUDES/2428>.

livres et d'articles pertinents dans son memex. Tout d'abord, il consulte une encyclopédie, trouve un article intéressant, mais sommaire, le laisse affiché. Ensuite, dans un historique, il trouve un autre élément pertinent, et lie les deux ensemble. Il continue ainsi, construisant une piste formée de liens entre plusieurs éléments. À l'occasion, il insère un commentaire de son cru, le liant soit à la piste principale, soit à un élément précis par une piste secondaire. Lorsqu'il devient évident que les propriétés élastiques des matériaux disponibles sont un élément important de l'arc, il choisit une piste de recherche secondaire qui le mène à des livres sur l'élasticité et les constantes physiques. Il insère une page manuscrite d'analyse personnelle. Ainsi, il construit une piste de ses intérêts dans le dédale des références à sa disposition[14]. » Malheureusement, Bush ne verra pas la naissance de la technologie dont il a si bien prédit le fonctionnement.

L'internet, comme bien d'autres technologies de pointe, voire toutes, a des origines militaires: « L'invention d'Internet intervient dans le climat de rivalité politique entre superpuissances qui caractérise la période de la guerre froide (1946-1991), pendant laquelle s'affrontaient deux systèmes idéologiques, le communisme et le capitalisme[15]. » Devant la menace que représente le lancement en 1957 de Spoutnik I par l'Union soviétique, qui démontre ainsi une supériorité technologique dans le domaine de l'espace, les États-Unis créent dès 1958 une agence dont la mission est de superviser tous les projets de recherche liés au domaine de la défense, l'Advanced Research Projects Agency (ARPA). Peu de temps après on confie à une autre agence, la National Aeronautics and Space Administration (NASA), cette responsabilité, permettant ainsi à l'ARPA de concentrer ses efforts sur l'informatique et les technologies de l'information. En 1967, l'ARPA lance un projet de réseau de communication entre ordinateurs de grande puissance (*mainframes*) issus de multiples fabricants. Ces ordinateurs sont difficiles à interrelier, puisqu'ils utilisent des systèmes d'exploitation propriétaires; pour pallier ce problème, on imagine d'utiliser une architecture faisant appel à des mini-ordinateurs utilisés comme relais de

---

14. V. Bush, « As we may think », *The Atlantic*, juillet 1945, p. 7. Article disponible en ligne: <http://www.theatlantic.com/doc/194507/bush>.

15. S. Proulx, *La révolution internet en question*, Montréal, Québec Amérique, 2004, p. 11.

transmission (Interface Message Processor ou IMP), l'équivalent des routeurs d'aujourd'hui; c'est une firme de la côte est américaine, Bolt, Beranek & Newman, opérant aujourd'hui sous le nom de BBN Technologies, qui est retenue comme fournisseur d'une solution intégrée de matériel et de logiciel. Dès décembre 1969, un réseau est opérationnel entre quatre centres universitaires: «l'Université de Californie à Los Angeles (UCLA), le Stanford Research Institute, l'Université de Californie à Santa Barbara (UCSB) et l'Université d'Utah[16]». Ce réseau, baptisé Arpanet, est l'ancêtre de l'actuel internet. Le nombre de sites reliés augmente rapidement, passant à treize en janvier 1971 puis à vingt-trois en avril 1972[17].

L'élément essentiel d'Arpanet, et bien sûr de l'actuel internet, est le protocole de communication, sans lequel tous les éléments physiques du réseau ne seraient qu'un assemblage de quincaillerie inutile. Plusieurs protocoles se succèdent depuis le «1822» fourni par la firme Bolt, Beranek & Newman, auquel succède le NCP (Network Control Program), conçu par le Network Working Group (NWG) d'ARPA, pour finalement aboutir à l'actuel TCP/IP (Transmission Control Protocol/Internet Protocol). En fait, TCP/IP est une suite qui compte plusieurs couches de protocoles, chacune étant dédiée à une application bien spécifique: contrôle du réseau, opération à distance d'un ordinateur, transfert de fichiers, courrier électronique, etc. Telnet (connexion interactive à distance) et FTP (copie de fichiers entre ordinateurs) sont parmi les tout premiers à être mis au point par le NWG[18]; ils sont toujours en usage aujourd'hui. Ce n'est qu'avec TCP/IP qu'Arpanet a vraiment pu se développer à l'échelle nationale et internationale. Ainsi, le partage d'un même protocole de communication, TCP/IP, a permis l'interconnexion avec le réseau NSFN de la National Science Foundation (NSF), à qui ARPA confie finalement la responsabilité de l'infrastructure; Arpanet disparaît au profit de NSFnet en 1990. Il n'est pas clair à quel moment l'appellation «NSFnet» est remplacée par «internet». On peut simplement relater les faits suivants: le

16. *Ibid.*, p. 16.

17. Site BBN Technologies: <http://www.bbn.com/about/timeline/arpanet>.

18. Site du département informatique de l'ISEP: <http://www. dei.isep.ipp.pt/~acc/docs/arpa.html>.

Dr Robert E. Kahn utilise le terme « internetting » en 1972 à l'occasion d'une démonstration de l'Arpanet pendant l'International Computer Communication Conference (ICCC)[19]; le terme « internet » est utilisé en 1982 lors de la création de l'Internet Protocol (IP), dont Kahn est le co-inventeur; la NSF cesse de subventionner l'infrastructure de NSFnet en 1995.

Ce qui a vraiment donné une valeur concrète à l'Arpanet, et plus tard à l'internet, ce sont les utilisations révolutionnaires que ces réseaux autorisent. En tout premier lieu, le *mail* ou courrier électronique[20]. C'est à Ray Tomlinson que revient le mérite de perfectionner cette invention en utilisant une forme d'adressage qui distingue l'usager du serveur en séparant les deux composantes par le sigle « @ », que nous connaissons si bien aujourd'hui. Alors analyste programmeur chez Bolt, Beranek & Newman, il expédie son premier message en 1971 ; ayant développé cette application « avant tout parce que ça [lui] semblait être une idée ingénieuse[21] », il ne se doutait sûrement pas de l'engouement qu'elle susciterait, ni du volume phénoménal de messages qu'elle engendrerait et encore moins des changements qu'elle entraînerait sur le plan socioculturel et sur celui des affaires. Pensons à la déshumanisation des communications qu'entraîne l'isolement physique engendré par le fait de remplacer les communications en personne par des échanges électroniques de courrier.

Une autre invention, le navigateur ou fureteur (*browser*), a également contribué à répandre l'usage de l'internet et à en multiplier les usages. Le navigateur, c'est l'application qui permet de suivre la « piste formée de liens entre plusieurs éléments » que décrivait le professeur Bush dans la présentation de son « memex ». La clé de ce système est l'hyperlien ou lien hypertexte, c'est-à-dire une relation entre un élément (mot, page ou document) *source* et un élément *cible*; si un

19. Site Internet Society : <http://www.isoc.org/internet/history/brief.shtml>.

20. Pour désigner cette forme de communication, l'Office québécois de la langue française a créé le terme courriel, maintenant officialisé en France par la Commission générale de terminologie et de néologie, même si, dans les deux pays, les termes mail et e-mail sont encore fréquemment utilisés dans la langue courante.

21. Site BBN Technologies : <http://www.bbn.com/about/timeline/email>.

hyperlien peut servir à des renvois entre deux documents sur un même ordinateur, c'est sur l'internet qu'il acquiert sa plus grande utilité. On pourrait même dire que l'internet ne pourrait exister sans l'hyperlien. Alors que Vannevar Bush imagine l'hyperlien, Ted Nelson invente l'expression « hypertexte », en 1963 ; dans les années 1960-1970, il travaille, seul d'abord puis avec quelques collaborateurs, au développement du Projet Xanadu, « un système hypertexte de haute performance, qui assure l'identité des références à des objets, et résout les problèmes de gestion, de configuration et de contrôle des droits d'auteur[22] ». Dans l'ouvrage *Literary Machines*, publié en 1983, il présente le résultat de ses travaux, ce qui contribue à populariser le concept[23]. C'est cependant Douglas Engelbart qui invente le premier système hypertexte collaboratif, NLS (oN-Line System), qui sera fonctionnel sur le réseau Arpanet dès 1969 ; NLS permet de référencer des documents entre les chercheurs des différents centres reliés au réseau[24]. Engelbart est également l'inventeur de la souris et de l'interface graphique (GUI).

Quant aux fureteurs, c'est Tim Berners-Lee qui, en 1990, développe le tout premier, du nom de World Wide Web, d'où provient l'expression WWW pour désigner l'internet ; c'est également lui qui conçoit le système d'adressage faisant appel au préfixe « http://www », ce qui explique pourquoi on lui attribue l'invention de l'internet tel qu'on le connaît aujourd'hui. Il faut dire que, sans navigateur, l'internet perdrait beaucoup de son intérêt pour le grand public. Le navigateur WWW fut avant tout utilisé au Conseil européen pour la recherche nucléaire (CERN)[25] ; le premier fureteur d'usage courant fut Mosaic, développé en 1993 par deux étudiants du National Center for Supercomputer Applications (NCSA), Marc Andreessen et Eric Bina. En 1994, Andreessen s'associera à d'autres pour fonder l'entreprise connue sous le nom de Netscape, qui lancera le premier navigateur commercial, Mozilla 1.0 ; Netscape accapare aussitôt le marché. C'est ce qu'il

22. Site Living Internet : <http://www.livinginternet.com/w/wi_nelson.htm>.

23. Site Eastgate Sytems : <http://www.eastgate.com/catalog/LiteraryMachines.html>.

24. Site Living Internet : <http://www.livinginternet.com/w/wi_engelbart.htm>.

25. Site Living Internet : <http://www.livinginternet.com/w/wi_browse.htm>.

convient d'appeler le premier succès d'une entreprise « dot com », car, en 1995, elle fait l'objet d'une offre initiale publique (IPO) majeure sur la bourse NASDAQ, la troisième en importance à l'époque. La même année, le lancement de Windows 95 vient complètement changer la donne en introduisant un fureteur concurrent, Internet Explorer; favorisé par le fait d'être inclus avec le système d'exploitation, celui-ci supplante bientôt Netscape. En 1998, les droits de ce logiciel sont cédés à un fournisseur d'accès internet, America On Line (AOL), qui en incorpore certaines fonctionnalités dans ses propres produits et cesse la distribution. La philosophie d'affaires et l'esprit innovateur de Netscape survivent cependant toujours à la Fondation Mozilla, leur produit vedette, le navigateur Firefox, s'étant emparé d'une part importante du marché depuis son lancement en 2004. En mai 2009, les parts de marché se répartissent comme suit: Internet Explorer, 65,5%, Firefox, 22,5%, le 12% restant étant partagé entre Safari (Mac OS X — 8,4%), Chrome (Google — 1,8%) et une quinzaine d'autres logiciels[26]. Une décision de l'Union européenne d'obliger Microsoft à vendre son prochain système d'exploitation, Windows 7, sans Internet Explorer pourrait venir changer considérablement le paysage des fureteurs dans les prochaines années[27].

Bien que moins prestigieuse que les deux précédentes, l'application FTP, utilisée pour le transfert de fichiers entre deux ordinateurs, est néanmoins indispensable; impossible de créer des sites web sans cette fonctionnalité. De nos jours, la transmission de fichiers à l'aide d'un réseau à haut débit est devenue un enjeu économique; dans l'industrie de la haute technologie, les échanges de fichiers parfois très volumineux doivent se faire de façon quasi instantanée, car le travail collaboratif, par exemple, ne peut attendre que la poste ou un courriel spécial livre un support physique le jour suivant. D'où l'importance pour les entreprises de se localiser dans des régions où elles ont accès à la technologie fibre optique jusqu'à la maison, mieux connue sous le sigle anglais FTTH (*fiber to the home*), maintenant devenue un enjeu de développement économique, dont nous reparlerons.

---

26. Site Market Share: <http://marketshare.hitslink.com/browser-market-share.aspx?qprid=0>.

27. Site BBC: <http://news.bbc.co.uk/2/hi/technology/ 8096701.stm>.

Ce qui fait la révolution internet

« Les technologies de l'information et de la communication sont perçues comme un puissant vecteur d'innovation sociale dans le processus actuel de restructuration des sociétés contemporaines. Les technologies numériques occupent une place centrale dans la réorganisation des modes de production et de consommation[28]. » Cette réorganisation du travail s'inscrit dans la même logique d'efficacité et de réduction de coûts que celles qui ont précédé. Si, cependant, on n'a fait jusque-là que remplacer la force physique de l'homme par une machine plus puissante, laissant à celui-ci la tâche plus noble d'utiliser son cerveau pour concevoir et faire fonctionner la machine — c'est un progrès, puisque l'homme n'a plus à s'échiner à un travail épuisant qui le fait vieillir prématurément —, le progrès technologique fait maintenant l'objet d'une controverse où il s'agit de savoir s'il tend à remplacer le cerveau de l'homme : « Cette fois, il s'agit d'aider le travail humain (physique et intellectuel) ou, même, de le remplacer, à l'aide de machines informationnelles[29]. »

Nous sommes en désaccord avec cette perspective, car, encore aujourd'hui, aucun ordinateur au monde ne peut rivaliser avec le cerveau humain. Certes, la machine est plus rapide, mais elle ne pense pas, elle ne fait que réagir à des stimulus et exécuter des tâches en fonction de règles établies par un programmeur humain. La vitesse de traitement accrue des ordinateurs laisse parfois croire qu'ils pourront un jour traiter en un éclair toutes les variables pertinentes d'un problème et résoudre ce dernier mieux et plus rapidement qu'un être humain ; ce raisonnement utopique ne tient pas compte du nombre quasi infini d'éléments à traiter et encore moins de l'aspect dynamique de l'environnement, qui change à chaque seconde. L'être humain, lui, a son intuition et son instinct pour le guider dans ce méandre, deux ressources que nous ne sommes pas près de comprendre, encore moins de reproduire dans une machine.

L'utilisation des systèmes « intelligents » ou « experts » demeure limitée, car leur champ d'action est très restreint et les prédictions qu'ils

---

28. S. Proulx, *op. cit.*, p. 52.
29. *Ibid.*, p. 53.

font, souvent erronées. Pour s'en convaincre, on n'a qu'à regarder chaque soir les prévisions météorologiques au journal télévisé; malgré les ordinateurs les plus puissants et les modèles comportant des algorithmes extrêmement complexes, les prévisions se révèlent souvent encore erronées. Cela ne traduit pas l'incompétence des météorologues, mais les limites de la machine.

Considérons également l'*offshoring*, ou sous-traitance à l'étranger. Cette pratique est utilisée par quantité d'entreprises pour la réalisation de tâches aussi complexes que la programmation de logiciels ou le service technique à la clientèle; on fait appel à des ressources humaines qualifiées dans des pays où la main-d'œuvre est sous-payée par rapport aux normes en vigueur dans les pays industrialisés. Le seul et unique objectif de l'*offshoring* est de réduire les dépenses, pas de faire réaliser le travail créateur ou relationnel d'un être humain par une machine, des tâches que l'objet technique serait bien incapable d'accomplir au demeurant. L'objectif mercantile des progrès technologiques est le véritable effet pervers de l'informatisation et de l'internet; toutes les technologies ont jusqu'à présent été perfectionnées dans le but de réduire les dépenses et d'augmenter la profitabilité des entreprises. Le cerveau artificiel pour remplacer le cerveau humain est, pour l'instant du moins, une utopie.

Arrêtons-nous maintenant à l'affirmation de Marshall McLuhan selon laquelle l'électricité aurait contracté le monde en un village global[30], car elle a fait couler beaucoup d'encre et engendré une autre utopie. L'auteur était visionnaire, car à l'époque où il a écrit ces lignes, la radio, la télévision, le cinéma et même l'ordinateur commençaient tout juste à tisser un réseau autour de la planète; l'internet n'en était même pas encore à ses balbutiements. S'appuyant sur cette «prophétie» d'un monde meilleur, que McLuhan n'a jamais prédit, certains ont vu dans les technologies de l'information (TI) en général et dans l'internet tout particulièrement «la réalisation du rêve d'une cité idéale où régnerait une harmonie entre les humains[31]». C'était mal connaître la bête! Il est exact que la connaissance d'autres cultures est considérée comme enrichissante par certains et, dans ce sens, que l'internet aurait pu

30. M. McLuhan, *Understanding Media: The Extensions of Man*, Toronto, New American Library, 1964, p. 20.

31. S. Proulx, *op. cit.*, p. 9.

contribuer à abolir les frontières ; c'était compter sans le sentiment de peur qu'éveille en plusieurs la différence.

Sur le plan sociopolitique, un des changements les plus importants induits par l'internet est à notre avis la transformation du processus démocratique ; ce changement présente de multiples facettes. Tout d'abord, comme l'écrit Mumford au sujet des radiocommunications, l'internet favorise « le contact direct entre le chef et le groupe », rendant possible « une unité politique qui se rapproche presque de celle des plus petites cités de l'Attique jadis[32] ». Il est vrai que les chefs politiques mondiaux ont désormais la possibilité de transmettre leur message à la planète entière et en plusieurs langues. Mais, n'ayons crainte, les risques de voir « Big Brother », ce dictateur du roman *1984*, de George Orwell, lessiver le cerveau de millions d'individus subjugués par des messages omniprésents et exclusifs sont inexistants ; la nature de l'internet et les changements qu'il a introduits dans les usages et les pratiques des médias en font au contraire un des principaux remparts de la démocratie.

En premier lieu, contrairement à la radio et à la télévision, qui ont été historiquement et jusqu'à tout récemment des médias périssables, l'auditeur devant syntoniser la chaîne à heure dite, l'internet donne toute liberté pour prendre connaissance du message à l'heure de son choix et le réécouter à sa guise, permettant une analyse et une réflexion plus approfondies. En outre, l'utilisation de l'internet étant assez libre et ne requérant pas un investissement financier important, cette technologie a favorisé l'émergence et la prolifération de mouvements politiques marginaux qui n'auraient pas pu naître, faire connaître leurs positions et survivre en faisant appel aux médias traditionnels. L'auditoire a donc la *possibilité* d'être mieux informé et de développer davantage son sens critique ; même s'il est vrai que les comportements décrits ne sont pas le fait d'une majorité d'individus, il suffit souvent d'un petit nombre pour faire changer les choses. L'exemple qui suit illustre admirablement bien le pouvoir qu'a désormais un seul individu grâce à l'internet.

L'élection présidentielle du 12 juin 2009 en Iran ayant été entachée d'irrégularités, des manifestants sont descendus dans les rues pour protester contre le résultat inique du vote. Une jeune femme, Neda Agha-Soltan, « s'est retrouvée plus ou moins par hasard au milieu d'une foule fuyant un assaut de la police. Elle aurait été abattue par un

32. L. Mumford, *Technique et civilisation*, Paris, Seuil, 1950, p. 219.

milicien. Elle est morte en moins de deux minutes, après que son dernier regard se soit [*sic*] tourné vers l'appareil, probablement un téléphone portable, avec lequel quelqu'un captait la scène.» Un embargo journalistique ayant été décrété par les pouvoirs en place, la nouvelle aurait en principe dû rester confinée au lieu même de l'événement ou encore ne se diffuser que localement de bouche à oreille. Or il en a été tout autrement, car le «soir même, la vidéo avait déjà circulé dans le monde entier. Et Neda était devenue le symbole du soulèvement des Iraniens[33].» Nous ne saurons peut-être jamais qui est la personne derrière l'objectif, selon toute vraisemblance la même qui a mis la vidéo en ligne sur internet; elle veut à juste raison demeurer anonyme, pour les raisons qu'on devine. Toutefois, si le régime iranien, sous les pressions internationales, vient à changer un jour, ce sera du fait non pas de la mort triste, inutile et *involontaire* de Neda, mais grâce à la présence d'esprit d'un quidam et au courage dont il a *volontairement* fait preuve en diffusant ces images symboliques sur le web. C'est l'interactivité autorisée par l'internet dans son incarnation actuelle, le Web 2.0 ou web social, où tout un chacun peut exprimer à sa guise les pires platitudes ou des idées innovatrices ou encore faire état de nouvelles inédites, sur Delicious, Digg, Facebook, StumbleUpon, Twitter, YouTube et bien d'autres sites interactifs. Comme ils le font quotidiennement, les grands médias de la planète se sont abreuvés à ces sites pour être à même de diffuser le scoop de la mort de Neda. «Jadis, note Mario Roy, on craignait le Big Brother orwellien à la solde d'un pouvoir totalitaire. C'est le contraire qui se produit. Des millions de *little brothers* grignotent, image par image, les pouvoirs absolus.»

N'allez surtout pas croire que le Web 2.0 n'a eu que des effets positifs. Outre le phénomène d'isolement physique dont nous avons déjà fait état, l'utilisation du web social peut nécessiter l'acquisition de matériel souvent onéreux — pensons aux clés internet, aux *smartphones* et aux services de communication mobile, dont nous parlerons un peu plus loin. Ces nouvelles technologies sont une invitation permanente à consommer davantage; elles participent donc à la montée de l'hyperconsommation.

---

33. M. Roy, «Neda l'immortelle», *La Presse*, mardi 23 juin 2009, p. A26; <http://www.cyberpresse.ca/opinions/editorialistes/mario-roy/200906/23/01-878128-neda-limmortelle.php>.

Ce qui précède résume bien les principaux *effets profonds* de l'internet sur la société. Nous reviendrons sur les usages sociaux du web et leurs répercussions sur nos habitudes et nos comportements. Pour l'instant, observons l'utilisation du web, ce qu'elle requiert et les défis qu'elle lance à notre société.

L'utilisation du web

On appelle aussi l'internet le « web », mot anglais qui peut signifier « tissu » (par exemple, de mensonges), « nid » (par exemple, d'intrigues), « palmure » (comme celle d'un canard) ou « toile » (telle celle d'une araignée) ; dans le contexte qui nous occupe, la dernière signification est la plus appropriée. Le mot est tout à fait adéquat pour désigner ce qui est en fait un réseau extrêmement complexe liant des milliards de sites, comptant chacun parfois une seule, parfois des milliers de pages. Ces sites pourront servir à de multiples usages allant de la consultation du courrier électronique à la visite virtuelle d'un musée, tel celui du Louvre, sans oublier la recherche d'une information, la formation à distance, le commerce électronique et bien d'autres utilisations et activités, incluant le réseautage social. Pour les profanes en la matière, trois éléments sont requis pour utiliser l'internet : un équipement tel un ordinateur, un téléphone portable ou une console de jeu ; un lien de télécommunication pour se brancher au réseau ; un logiciel, le navigateur, permettant de faire l'interface avec les pages web et d'activer les hyperliens qu'on y trouve.

Les équipements

Le matériel le plus communément utilisé pour se brancher au web est un ordinateur. Arrêtons-nous en particulier ici sur une pratique dont la popularité croît un peu plus chaque jour, l'utilisation mobile du web et ses équipements actuellement proposés. Même si la technologie progresse à cet égard à une vitesse folle, on peut tout de même dégager les grandes tendances.

Les ordinateurs portables et les accès internet sans fil (Wi-Fi) existent depuis plusieurs années déjà. La taille et le poids des premiers ont été réduits avec les années ; on trouve même maintenant sur le marché des ordinateurs portables qualifiés de *netbooks*. Le *netbook*, c'est un ordinateur ultraportable, une qualité qu'il doit à sa petite taille et à son poids réduit, autour d'un kilo. Doté d'un écran de 20 à 25 centimètres (8 à 10 pouces), d'un processeur moins puissant et d'un disque dur de taille réduite, parfois d'une mémoire flash, de moindre capacité, mais également moins gourmande en énergie, il est conçu pour l'internet: surfer sur le web, recevoir ou expédier des courriels, accéder à Facebook ou à Twitter, etc. Pensé pour être complémentaire à un ordinateur fixe ou portable, il n'est pas destiné au travail de bureau; à la rigueur, on pourrait effectuer quelques corrections de dernière minute au texte d'une lettre ou d'une proposition d'affaires. Le marché mondial du *netbook* est en croissance rapide: 14 millions d'unités ont été vendues en 2008, et on prévoit en vendre environ le double en 2009, soit 25 à 30 millions[34]. Certains diront que c'est peu en pourcentage du marché total, environ 10%, comparativement aux 300 millions d'ordinateurs qui seront vendus cette année, mais nous voyons là une tendance importante sur le plan du comportement; de plus en plus, les gens veulent avoir accès à l'internet pendant leurs déplacements. D'autres informations viennent confirmer cette tendance.

Si un *netbook* est encore trop gros pour vous, il faudra vous rabattre sur un *smartphone*, aussi appelé téléphone intelligent ou combiné multimédia. La croissance de la demande pour ce type d'appareil est elle aussi très forte; d'une moyenne de 22% à l'échelle mondiale, elle peut atteindre 70% dans certains marchés[35]. Si, selon une étude de Gartner Research, les ventes mondiales de téléphones mobiles ont régressé de 8,6% au premier trimestre 2009 par rapport à la même période en 2008, celles des téléphones intelligents ont augmenté de 12,7%; plus de 36,4 millions de *smartphones* se sont vendus, une augmentation de plus de 4 millions d'unités... et cela, pendant la pire récession mondiale depuis celle des années 1930[36]. Les produits de luxe ne sont pas menacés par la récession à la condition d'offrir autre chose qu'une marque porteuse de symboles, telles celles issues du

---

34. Site DigiTimes Systems: <http://www.digitimes.com/news/a20090218PD219.html>.

35. Site Reuters France: <http://fr.reuters.com/article/technologyNews/idFRPAE55J0DJ20090620>.

36. Site Gartner: <http://www.gartner.com/it/page.jsp?id=985912>.

branding[37]. Le produit de luxe doit offrir des caractéristiques qui répondent aux attentes du moment; pour le *smartphone*, l'écran tactile est aujourd'hui un *must*, de même des applications telles que l'écoute de musique, la prise de photos et de vidéos de qualité, le *mail* mobile, le furetage sur internet.

La concurrence est féroce; on voit s'affronter plusieurs fabricants. Même si, selon l'étude de Gartner Research citée, elle voit sa part de marché diminuer de 3,9%, passant de 45,1% à 41,2%, Nokia demeure le leader mondial. Elle est suivie d'assez loin par Research in Motion avec ses différents modèles de BlackBerry, qui voit sa part de marché augmenter de 6,6%, passant de 13,3% à 19,9%. Quant à Apple, les lancements successifs de l'iPhone 3G en juillet 2008 puis de l'iPhone 3GS en juin 2009 lui ont permis de se hisser au troisième rang avec 10,8% du marché, une augmentation de 5,5%; HTC vient ensuite avec 5,4% du marché, puis Fujitsu avec 3,8%. Tous les autres fabricants, parmi lesquels on compte Palm, Samsung, Sony Ericsson et d'autres, se partagent 18,8% du marché, une diminution de 9,3%. Les joueurs dominants en Amérique du Nord sont Research in Motion et Apple, qui offrent tous deux des produits haut de gamme, alors que, selon une étude réalisée par Frost & Sullivan, Nokia domine en Europe et en Russie[38].

La partie se joue également entre plusieurs fournisseurs de systèmes d'exploitation (OS). Toujours selon l'étude de Gartner Research, au premier trimestre 2009, les parts de marché des OS mobiles s'établissaient ainsi: Symbian, 49,3%, BlackBerry OS, 19,9%, iPhone OS, 10,8%, Windows Mobile, 10,2%, Linux, 7,0%, Android, 1,6% et autres 1,2%. Le leader du marché des *smartphones*, Nokia, privilégie l'OS Symbian, autrefois un logiciel propriétaire (*proprietary software*), c'est-à-dire dont les droits de propriété et d'usage sont exclusifs au détenteur des droits d'auteur; jusqu'en 2008, le propriétaire de Symbian est Nokia en partenariat avec Ericsson, Motorola et Psion. Le 24 juin 2008, Nokia, Sony Ericsson, Motorola et NTT DOCOMO annoncent

37. Voir B. Duguay, « Le luxe de 1950 à 2020: une nouvelle géoéconomie des acteurs », *Géoéconomie*, nº 49, printemps 2009, p. 51, et *Consommation et image de soi. Dis-moi ce que tu achètes…*, Montréal, Liber, 2005, chap. 3.

38. Site Nokia: <http://www.nokia.com/press/press-releases/showpress release?newsid=1327003>.

« leur intention d'unifier l'OS Symbian, S60, UIQ et MOAP(S) pour créer une seule plate-forme logiciel ouverte. En collaboration avec AT&T, LG Electronics, Samsung Electronics, STMicroelectronics, Texas Instruments et Vodafone, ils prévoient établir la Fondation Symbian pour accroître l'attrait de cette plate-forme logicielle unifiée. L'appartenance à cette fondation à but non lucratif sera ouverte à toutes les organisations[39]. » Il faut voir deux objectifs dans cette stratégie ; le premier est de faciliter l'entrée des technologies mobiles dans les pays en développement ; conçu par une fondation à but non lucratif, un logiciel libre permet à tous les joueurs du marché de réduire leurs frais, permettant d'offrir au marché des produits plus abordables. L'autre objectif est de contrer les efforts de Google visant à développer Android, un autre système d'exploitation libre que semble très bien accueillir l'industrie de la téléphonie mobile, même si, à l'été 2009, on trouve sur le marché encore peu de téléphones utilisant ce système d'exploitation. C'est le lucratif marché des applications et des *widgets* qui est en jeu, les usagers de l'iPhone en ayant téléchargé plus d'un milliard en un an ; Android a réussi à attirer plusieurs développeurs qui offrent déjà leurs produits sur le site du Marché Android.

On constate que pour Research in Motion et Apple les parts de marché des *smartphones* et des systèmes d'exploitation sont exactement les mêmes, le BlackBerry et le iPhone utilisant tous deux un système propriétaire exclusif à la marque. Windows Mobile est un autre système propriétaire, de Microsoft, qui aimerait bien répéter dans le monde mobile le succès qu'elle a connu dans celui de l'ordinateur personnel, dont elle détenait plus de 87% du marché en mai 2009. Parmi les fabricants qui offrent des téléphones opérant sous Windows Mobile on compte HP, HTC, i-mate, LG, Motorola, Palm, Pantech, Psion Teklogix et Samsung.

L'arrivée des systèmes d'exploitation ouverts et gratuits, comme Android, Linux et Symbian, capables de gérer toute une panoplie d'équipements mobiles est une excellente nouvelle, car elle ouvre la voie à un accès accru aux technologies de l'information et des communications, celles-ci étant plus abordables financièrement. On peut penser aux pays en développement et même à des groupes moins fortunés au sein des sociétés industrialisées. Compte tenu du succès des *netbooks* et

39. *Ibid.*

de la popularité croissante d'Android, un fabricant chinois, SkyTone, a décidé d'offrir un *netbook* encore plus petit, l'Alpha-680, roulant sous ce système d'exploitation de Google ; doté entre autres d'un écran de 7 pouces (un peu plus de 15 cm), tactile et orientable, d'une caméra et d'un processeur ARM 11 identique à celui de l'iPhone, il pèse moins de 700 grammes (1,5 livre). La rumeur fixe son prix à 250 dollars américains. D'autres fabricants, Pegatron par exemple, annoncent des produits similaires. Le 7 juillet 2009, Google confirmait son implication dans le secteur des systèmes d'exploitation avec l'annonce de Chrome OS ; rapide, peu gourmand en ressources, sécuritaire et simple d'utilisation, il ciblera d'abord le marché des *netbooks*, mais son usage pourra s'étendre rapidement à des ordinateurs plus gros. La société Google est consciente de l'existence d'un chevauchement entre ses deux systèmes d'exploitation ouverts, Android et Chrome, mais estime que cette concurrence favorisera l'innovation et sera profitable tant au marché qu'à Google. Puisque la société offre déjà une suite gratuite d'applications web, *Google Docs*, une solution de rechange intéressante à la suite *Microsoft Office*, ses incursions dans le secteur des systèmes d'exploitation étaient à prévoir, car elles s'inscrivent dans une stratégie visant à offrir une solution complète pour l'usager.

Cela annonce également une convergence entre le *smartphone* et le *netbook*. Ainsi, on peut imaginer un usager avoir son *smartphone* à portée de la main en tout temps puis, en déplacement, l'encastrer dans un *netbook* dépourvu de processeur, donc encore moins cher, mais doté d'un écran plus grand et d'un clavier plus fonctionnel, lorsqu'il a besoin de travailler sur un document ou de consulter une banque de documents trop volumineuse pour un *smartphone*. Arrivé au bureau ou à la maison, ce même usager pourra relier son tandem *smartphone/netbook* à un poste fixe pour synchroniser ses fichiers avant de travailler sur un écran panoramique et effectuer des tâches — l'analyse de données, par exemple — nécessitant un ordinateur plus puissant.

L'infrastructure de communication

La façon la plus commune de se brancher à l'internet est un accès fixe ; le plus ancien est le modem téléphonique, quasiment disparu aujourd'hui car beaucoup trop lent pour les nouveaux usages d'internet. La disponibilité à faible coût de l'accès internet grand débit par un lien

ADSL ou câblé a popularisé l'usage de ces deux technologies. Cependant, au Québec en tout cas, en mars 2009, certains usagers sont encore défavorisés sur ce plan: « Il reste encore 300 000 foyers, ou 10% de la population québécoise, qui n'ont pas accès à un service internet haute vitesse (IHV). Pour étendre la couverture vers ces régions, le gouvernement vient de créer le programme Communautés rurales branchées, qui dispose d'une enveloppe de 24 millions de dollars[40]. » Une autre fracture!

Toujours en ce qui concerne les accès fixes, le *nec plus ultra* en la matière est sans contredit l'utilisation de réseaux de fibres optiques jusqu'à la maison, mieux connus sous le sigle anglais FTTH (*fiber to the home*). Une infrastructure de communication numérique performante est indispensable à un pays, au point où le président Obama en a fait un bien stratégique national surveillé par un bureau de la cybersécurité à la Maison Blanche même. Au sein de cette infrastructure la fibre optique à la maison est devenue un enjeu majeur. Dans les domaines où l'échange de données est fréquent et les fichiers sont de très grande taille, il est fini le temps où un sous-traitant pouvait expédier le fruit de son travail à la société qui l'emploie sur un disque; ici comme dans bien d'autres domaines, le temps est sévèrement compté et les échanges doivent se faire en ligne, chose impossible avec un accès internet LNPA (ADSL) ou câblé.

C'est ce qui explique qu'à ce jour un réseau de fibres optiques se rend jusqu'à plus de quinze millions de foyers aux États-Unis. L'Europe mise également beaucoup sur cette technologie; la France par exemple est bonne première pour ce qui est des foyers raccordés, c'est-à-dire ceux jusqu'où la fibre optique se rend, comptant « 4,4 millions de foyers raccordés sur 11,2 millions en Europe, restant loin devant les autres pays comme l'Italie qui figure à la seconde place avec seulement un peu plus de 2 millions de foyers connectés[41] ». La fibre optique étant encore méconnue du grand public et les offres pour ce service étant encore onéreuses, le nombre de foyers réellement branchés, c'est-à-dire ceux

40. Site Cyberpresse: <http://technaute.cyberpresse.ca/nouvelles/internet/200903/10/01-834919-linternet-haute-vitesse-pour-les-communautes-rurales.php>.

41. Site PCWorld.fr: <http://www.pcworld.fr/2009/02/17/internet/fibre-optique-la-france-a-la-traine-en-nombre-d-abonnes/27551/>.

qui sont abonnés à une offre de service, est cependant beaucoup moins élevé ; au premier trimestre 2009, on en comptait un peu plus de 4,4 millions aux États-Unis, et la France n'affiche qu'un taux de branchement de 4,1 %, loin derrière d'autres pays européens plus petits, telles la Norvège (65,6%) et la Suède (44,1 %). Quant au Canada, la situation reste désastreuse. Il n'y aura que soixante-dix mille foyers en 2010, alors que le voisin américain les compte déjà par millions. « En cinq ans, le Canada est passé du 9e au... 19e rang mondial en matière de technologies de l'information et des communications. Une menace pour le développement du pays [...] "Les compagnies d'effets spéciaux de Montréal commencent aussi à avoir des problèmes", lance Réal Gauthier, de la boîte Concept et Forme. "À cause du piratage, les studios d'Hollywood n'acceptent plus que leur travail soit envoyé sur un disque dur par courrier terrestre. Ils veulent un transfert sur un réseau sécurisé. Or, avec le réseau actuel, une scène de trois minutes du dernier Batman, ça peut prendre deux jours à envoyer[42]". »

En ce qui concerne les réseaux de communication mobile, le *netbook* et le *notebook* (PC portable plus gros) peuvent accéder à l'internet par le biais de connexions Wi-Fi disponibles dans plusieurs grandes villes et dans de nombreux aéroports, sans compter les bornes mises à la disposition des clients dans les cafés internet et les hôtels. La connexion Wi-Fi est également utilisée en milieu résidentiel et professionnel pour donner accès à l'internet à plusieurs usagers sans avoir à installer un réseau de fils, ce qui pourrait nécessiter des travaux coûteux pour traverser des cloisons et des plafonds. En France, tous les abonnés à l'accès internet ADSL offert par SFR « font partie de la communauté NeufWiFi et peuvent se connecter gratuitement à internet sur plus de 1.000.000 hotspots[43] ». Au Canada, un plan plus modeste, le Bell internet MAX 10, permet aux abonnés d'utiliser un « accès Wi-Fi gratuit dans plus de 650 cafés Starbucks au pays[44] ». Dans les deux pays, il est possible que d'autres fournisseurs offrent des plans similaires.

42. F. Deglise, « La fracture numérique », *Le Devoir*, 16 et 17 mai 2009 ; <http://www.ledevoir.com/2009/05/16/250729.html>.

43. Site SFR : <http://adsl.sfr.fr/offres-adsl/internet/neufwifi/>.

44. Site Bell : <http://www.bell.ca/shopping/PrsShpInt_NewAccess.page?language=fr®ion=QC&languageToggle=true&_windowLabel=PrsShpInt_NewAccess_internetBrowse_portlet>.

Toujours pour les ordinateurs portables, pensons aussi aux clés internet branchées dans une sortie USB ; ce sont en fait des modems qui permettent d'accéder à un réseau de téléphonie mobile. Si les *netbooks* et les *notebooks* peuvent désormais utiliser le réseau de téléphonie cellulaire, depuis quelques années, certains téléphones portables peuvent se connecter à l'internet par le biais d'un accès Wi-Fi. Après la convergence des systèmes d'exploitation, voilà la convergence des réseaux de communication entre ces deux types d'appareils mobiles.

Les navigateurs

L'utilisation d'un navigateur est essentielle pour accéder aux fonctionnalités de l'internet, du simple plaisir de fureter aux transactions financières en ligne, sans oublier les nombreuses applications du web social, le courrier électronique pour les personnes qui utilisent les services de messagerie en ligne et quantité d'autres usages. Le fureteur pourrait même devenir le noyau central du système d'exploitation.

Au début des années 1990, l'internet n'était encore qu'un outil réservé aux chercheurs et les navigateurs étaient conçus pour diffuser du texte sur des écrans monochromes. Lynx est le seul survivant de cette époque, mais utilisé strictement pour des tâches simples, tels le téléchargement de fichiers et l'affichage de messages sur des forums (*newsgroups*). Il a l'avantage de se contenter d'une bande passante restreinte, comme celle offerte par une connexion modem à 56 kbps, la seule disponible dans certaines régions, comme nous l'avons d'ailleurs souligné. C'est Mosaic qui annonce une révolution dans ce domaine: « Il gère tous les types de services internet. Nouvelles, WAIS [*wide area information server* — système client / serveur permettant la recherche documentaire], www, mail et quoi d'autre ? Et les graphismes ! Certaines des images peuvent même s'afficher en plein milieu des documents eux-mêmes ! Il est clair que ce programme allait changer le monde de l'informatique. Et si simple ! Le simple fait de cliquer sur les mots bleus vous transportera à l'autre bout du monde ! » En mai 1994, l'équipe de développement de Mosaic quitte le NCSA (National Center for Supercomputer Applications — université de l'Illinois) et fonde l'entreprise Mosaic Communications, rebaptisée Netscape dès l'automne pour régler un litige avec l'université de l'Illinois. Netscape lance le premier navigateur commercial, Mozilla 1.0, en décembre de la même année. Trois facteurs militent en faveur de son adoption généralisée. Premièrement, le fait d'intégrer harmonieusement le web, le mail et les *newsgroups*. Deuxièmement, le fait d'être disponible sous trois systèmes d'exploitation, Windows, Macintosh et Unix. Troisièmement, le fait que, conscient de ses origines, Netscape le distribue gratuitement aux particuliers et aux organisations sans but lucratif. À son zénith, vers la fin des années 1990, Netscape détenait plus de 80% du marché des navigateurs. En 1998, la forte concurrence d'Internet Explorer de Microsoft force la vente de l'entreprise à America On Line (AOL), un fournisseur de service internet. En 2003, à la suite d'une guerre dans laquelle Microsoft a dominé, AOL confie le développement de la technologie Open Source à la fondation Mozilla avec un financement de deux millions de dollars américains, mais conserve la marque Netscape comme élément de son offre de service d'accès à internet; aujourd'hui, celle-ci survit à peine avec environ 0,7% de part de marché[45].

Revenons un peu en arrière, en août 1994 plus précisément, peu après la fondation de Mosaic Communications; le départ de l'équipe de développement pousse le NCSA à vendre la technologie de Mosaic à Spyglass qui la revend par la suite à plusieurs concepteurs de logiciels, dont Microsoft; cette dernière l'utilisera pour créer son propre navigateur, Internet Explorer. Microsoft est un peu lente à comprendre l'intérêt d'un navigateur; lors de son lancement, Windows 95 doit se contenter d'un client pour le réseau Microsoft (Microsoft Network - MSN), dont les capacités sont bien inférieures à celles de Netscape. Voici ce que dit Microsoft dans le manuel de l'usager de Windows 95: « Windows 95 comprend également l'accès à un nouveau service en ligne: le réseau Microsoft. En l'utilisant, vous pouvez échanger des messages avec des gens autour du monde; lire les dernières nouvelles, les sports, les prévisions météorologiques et l'information financière; trouver les réponses à vos questions techniques; télécharger une collection de milliers de logiciels utiles; vous brancher à l'internet; et plus! » Au contraire de Netscape, c'est un logiciel centré sur les services

45. Site Netscape Navigator hébergé chez Eskimo.com: <http://www.eskimo.com/~bloo/indexdot/history/netscape.htm>. Les parts de marché citées pour les différents navigateurs proviennent du site Market Share: <http://marketshare.hitslink.com/default.aspx>.

offerts par Microsoft plutôt que sur internet. Bill Gates comprend rapidement son erreur et se presse de lancer Internet Explorer; il faudra cependant attendre la version 4.0 en 1997 pour concurrencer sérieusement Netscape. À partir de ce moment, la domination d'Internet Explorer se confirme, en particulier avec le lancement de Windows 98; le logiciel accapare une part de marché supérieure à 90% qu'il conservera jusqu'à l'arrivée de Firefox en 2004. Sa part de marché décline alors pour atteindre 65,5% en mai 2009. La décision de la Commission européenne d'exiger qu'un système d'exploitation doive laisser l'usager libre de son choix de navigateur a poussé Microsoft à offrir son prochain système d'exploitation, Windows 7, sans Internet Explorer 8, en Europe. Cela pourrait avoir un impact sur l'utilisation de ce navigateur, en particulier dans le contexte actuel de concurrence accrue pour ce type de logiciel, surtout si l'exemple européen était suivi ailleurs. Quelle est cette concurrence?

En tout premier lieu Firefox, un projet de la fondation Mozilla; comme tous les logiciels de Mozilla, c'est un logiciel libre de droits d'utilisation. Depuis le lancement de Firefox 1.0 en 2004, celui-ci a rapidement gagné la faveur populaire, en commençant par les milieux de la recherche et de l'enseignement, qui ont toujours eu un préjugé favorable pour le logiciel libre, comme Netscape à l'origine. Déjà en décembre 2005, la part de marché d'Internet Explorer avait chuté à 87% et celle de Firefox atteignait presque 8%. Disponible sur les plateformes Windows, Mac OS et Linux, sa part du marché des navigateurs dépassait 22,5% en mai 2009; les améliorations apportées à la version la plus récente, la 3.5, entre autres sur les plans de la sécurité et de la vitesse, devrait le rendre encore plus populaire. CNET a classé ce logiciel parmi les cent meilleures applications web (*Webware*) de 2009.

Le troisième navigateur le plus populaire est Safari, le fureteur par défaut des ordinateurs Macintosh et exclusif de l'iPhone; il est également au classement des cent meilleurs webware 2009. Sans surprise, la part de marché de Safari suit sensiblement la même courbe d'adoption que Mac OS; comme ce dernier, en un an, il a gagné environ 2% de plus du marché des navigateurs pour s'établir à 8,4%. Apple s'est toujours positionné comme un joueur de niche dans des marchés un peu plus haut de gamme ou spécialisés, tel celui de l'édition; en outre, les mordus du Mac sont extrêmement fidèles et fiers de leur différence. On peut croire que les choses ne changeront pas, même si Apple peut sans doute grignoter encore quelques pourcentages de marché à la plateforme Wintel (OS Windows et processeur Intel ou compatible).

Parmi les navigateurs d'usage généraliste, Chrome de Google est le dernier arrivé, mais il se classe déjà en quatrième position. Lui aussi au classement des cent meilleurs webware 2009, voici ce qu'en pensent les critiques: «Annoncé par erreur à la fin de 2008, la société l'a publié en tant que téléchargement pour Windows uniquement. Le navigateur est doté de plusieurs caractéristiques avant-gardistes, telles la possibilité pour chaque onglet d'exister comme processus indépendant, ainsi que la capacité de faire glisser celui-ci en dehors du navigateur pour devenir une application autonome ou une nouvelle fenêtre. Il a également doté chaque nouvel onglet de sa propre page de démarrage, certains des sites les plus récemment visités apparaissant sous forme de vignette. Chrome demeure un produit réservé à Windows pour la plupart des consommateurs, mais des versions préliminaires existent pour les utilisateurs Mac et Linux. Google devrait publier des versions complètes pour ces plates-formes vers la fin de 2009[46].» Dès son lancement en septembre 2008, il prend près de 0,8% du marché, un pourcentage qui a plus que doublé en mai 2009, soit 1,8 %, ce qui représente tout de même trente millions d'usagers selon Google[47].

La récente annonce du système d'exploitation Chrome OS par Google favorisera vraisemblablement l'utilisation du navigateur Chrome. Si, avec le tandem Windows / Internet Explorer, Microsoft a intégré le navigateur dans le système d'exploitation, Google fait maintenant du navigateur le système d'exploitation lui-même. Si Chrome OS est avant tout destiné à l'exécution d'applications en ligne, il peut tout aussi bien permettre leur utilisation sans être relié au web: «L'idée est que, pour chaque tâche qu'un utilisateur de *netbook* peut vouloir effectuer, une application web sera disponible. Ces programmes web pourraient venir de n'importe qui et s'exécuteraient tout aussi bien dans d'autres navigateurs sur d'autres systèmes.d'exploitation, tels Windows ou Mac OS X, puisque le navigateur de Google s'appuie sur les standards du web ouvert. Pas de connexion internet? Les logiciels de

46. Site CNET News: <http://news.cnet.com/8301-13546_109-10236990-29.html?tag=mncol;txt>.

47. Blog officiel Google: <http://googleblog.blogspot.com/2009/07/introducing-google-chrome-os.html>.

Google [par exemple Gears] et un nombre croissant de web spécifications [par exemple celles de la WHATWG *community*] permettent une utilisation hors ligne dans un navigateur[48]. » Assurément, Chrome OS ne remplacera pas Windows demain matin pas plus que Chrome à lui seul détrônera Internet Explorer; d'ailleurs, je ne crois pas ce que soit là ce que souhaite Google. Néanmoins, il est sain pour le marché de voir d'autres solutions et d'autres approches lui être offertes, plutôt que d'être soumis aux diktats d'un seul joueur en position d'hégémonie, ce qui est malheureusement encore le cas aujourd'hui avec Windows qui détient 87,8% du marché des systèmes d'exploitation.

Puisque notre prochain chapitre porte sur le web social, considérons maintenant un dernier navigateur, Flock, conçu pour l'utilisation des réseaux sociaux, tels Del.icio.us, Facebook, Flickr, MySpace, Twitter et d'autres; il est disponible pour les plates-formes Windows et Mac OS. Voici une évaluation du journaliste Bob Hof publiée le 5 octobre 2005, jour du dévoilement de ce nouveau logiciel, dans la prestigieuse revue *Business Week*: « Les navigateurs Web ne sont pas très différents de ce qu'ils étaient il y a dix ans, lorsque l'offre publique d'actions de Netscape Communications a catapulté les logiciels de navigation sur le Web dans l'actualité. Vous cliquez sur un site, furetez, regardez ou écoutez quelque chose, cliquez ailleurs — toujours dans la solitude. Flock, une entreprise en démarrage, a maintenant l'intention de changer tout cela [...]. Contrairement aux navigateurs classiques [*plain vanilla*] tels Internet Explorer de Microsoft (MSFT), le navigateur de Flock est conçu spécifiquement pour une nouvelle génération en émergence d'utilisateurs du Web, qui n'est pas satisfaite de fureter passivement les médias en ligne. Flock espère transformer le navigateur en un tableau de bord de collaboration, de blogs, de partage de photos, de divertissement faisant appel à toute une série d'autres activités de groupe qui se sont récemment enflammées en ligne [...] " Le Web n'est pas seulement une bibliothèque de documents, mais un flux d'événements et de personnes", affirme Bart Decrem, cofondateur et chef de la direction de Flock. " Et les gens passent beaucoup plus de temps à partager sur le Web." »

48. R. Pegoraro, « Google's Chrome OS: the web is the computer », *The Washington Post*, jeudi 9 juillet 2009. En ligne: <http://www.washingtonpost.com/wp-dyn/content/article/2009/07/08/AR2009070804015.html?sub= AR>.

À l'époque, on rencontrait le même enthousiasme chez les chroniqueurs technologiques. Ainsi Benoit Descary n'avait que des éloges pour une version d'essai (*bêta*) qu'il venait tout juste de tester, en particulier la bidirectionnalité du logiciel et la fonctionnalité permettant de publier une chronique directement sur un blog depuis ce navigateur[49]. Dans une ère où de nouveaux logiciels font leur apparition presque quotidiennement, il est rare de constater dès le départ un tel engouement des critiques. Cette ferveur se poursuit d'ailleurs, puisque CNET cite Flock parmi les cent meilleures applications web de 2009.

Voyons maintenant quelques effets qu'ont eus les technologies de la communication sur la société d'hyperconsommation.

Technologies de la communication et société d'hyperconsommation

Pas plus tard que le 7 décembre 1941, une panne dans les télécommunications de l'armée américaine entre le continent et Hawaï oblige le général Marshall à utiliser un télégramme Western Union pour prévenir l'amiral Kimmel de l'imminence d'une attaque; ce dernier le reçoit après le début de l'assaut. Le citoyen est aujourd'hui informé plus rapidement que les dirigeants d'hier. Mais si nous avons la possibilité d'être informés des tout derniers événements mondiaux presque au moment même où ils surviennent, il faut faire preuve d'esprit critique quant à la qualité de l'information reçue. Si les informations fournies en ligne par les grands médias traditionnels sont en général fiables, il n'en va pas de même d'innombrables rumeurs et fausses nouvelles qui circulent sur le web et sur le mail. Malheureusement, tout le monde ne fait pas preuve de discernement; c'est ce qui a permis à une véritable industrie de la fraude de se développer sur internet.

Un article publié le 2 avril 2009 dans le *Washington Post* par le journaliste Brian Kebbs nous dévoile l'ampleur des fraudes sur internet: «Les plaintes par des consommateurs au FBI concernant la fraude sur internet ont augmenté de plus de 33 pour cent en 2008 par rapport à l'année précédente, selon des chiffres publiés cette semaine. [...] La perte totale pour l'ensemble des 72 940 cas de fraude soumis aux

49. Blog Descary.com: <http://descary.com/flock-le-fureteur-internet-web20/>.

autorités légales fédérales, de l'État et locales a totalisé 246,6 millions de dollars, avec une perte médiane de 931 dollars par plainte — une hausse par rapport aux pertes totales de 239,1 millions de dollars déclarées en 2007[50]. » L'ampleur du phénomène a mené les gouvernements à mettre sur pied des organismes dédiés à la lutte contre toutes les formes de fraude sur internet, par exemple l'Internet Crime Complaint Center (IC3) aux États-Unis et PhoneBusters au Canada. En outre, dans les deux pays, le mois d'octobre a été désigné comme le « Mois de la sensibilisation à la cybersécurité[51] ». Malgré toutes ces mesures, des internautes se font encore arnaquer, certains séduits par l'appât d'un gain rapide, d'autres, victimes de leur naïveté.

Outre la fraude, force nous est de constater que si certains sont mieux informés, cette diffusion plus abondante et plus rapide de l'information n'est pas uniforme, car la fracture numérique attribuable aux inégalités dans l'accès aux technologies de l'informatique se prolonge et s'amplifie avec les technologies de la communication : « En 2004, moins de 3 Africains sur 100 utilisent l'internet, comparativement à en moyenne 1 sur 2 parmi tous les habitants des pays du G8 (Canada, France, Allemagne, Italie, Japon, Russie, Royaume-Uni et États-Unis). Il y a à peu près le même nombre total d'utilisateurs d'internet dans les pays du G8 que dans l'ensemble des autres pays du monde combinés : 429 millions d'utilisateurs d'internet dans les pays du G8 ; 444 millions d'utilisateurs d'internet dans les pays non membres du G8[52]. » Le retard n'a assurément pas été comblé depuis 2004. Si le Canada est aujourd'hui défavorisé simplement du fait de ne pas avoir encore pris le virage du FTTH, imaginez-vous à quel point il est préjudiciable, économiquement et socialement, pour les pays en développement d'être privés d'une infrastructure de communication adéquate. S'il est relativement facile de combler, en partie du moins, la fracture numérique des équipements informatiques qui existe entre pays riches et pays pauvres, en fournissant gratuitement à ces derniers des ordinateurs dont la vie utile est terminée,

50. Site du *Washington Post* : <http://voices.washingtonpost.com/securityfix/2009/04/fbi_internet_fraud_rates_rose.html>.

51. Site de Sécurité publique Canada : <http://www.securitepublique.gc.ca/media/nr/2009/nr20091002-fra.aspx?rss=false> ; voir aussi le site du Internet Crime Complaint Center : <http://www.ic3.gov/default.aspx>.

52. Site de l'International Telecommunication Union : <http://www.itu.int/wsis/tunis/newsroom/stats/>.

dans un pays développé, il est par contre beaucoup plus difficile, voire impossible, de combler le fossé numérique des communications, car on ne construit pas une infrastructure de communication sans argent et en criant lapin.

Puisque la diffusion technologique grand public se fait dans une logique commerciale, elle est nécessairement restreinte aux pays dont la population dispose d'un revenu discrétionnaire suffisant pour alimenter la consommation des produits technologiques. Et, tout comme le développement des technologies de l'informatique, celui des technologies de communication a favorisé la société de l'hyperconsommation. D'une autre façon cependant. L'internet a permis la naissance d'une autre forme d'activité commerciale, le commerce électronique. Pour le Canada, les plus récentes statistiques disponibles font état d'achats en ligne totalisant « près de 12,8 milliards de dollars de commandes [en 2007], en hausse de 61% par rapport à 2005. Cette croissance a été le résultat d'une hausse du volume de commandes, celles-ci étant passées de 49,4 millions en 2005 à 69,9 millions en 2007. La proportion de commandes auprès de fournisseurs canadiens a diminué légèrement, passant de 57% du total en 2005 à 52% en 2007 [...] La consommation en ligne était inégale d'un consommateur à l'autre. Les 25% supérieurs des "consommateurs en ligne", qui ont dépensé en moyenne 5 000 $ en 2007, ont été à l'origine de 46% des commandes et de 78% de la valeur pécuniaire totale [...]. Sur le plan démographique, les utilisateurs d'internet de 25 à 34 ans étaient les plus grands consommateurs en ligne, plus de la moitié d'entre eux (51%) ayant passé des commandes en ligne [...] Pour de nombreux Canadiens, le magasinage sur internet est devenu un complément du magasinage traditionnel plutôt qu'un substitut. En 2007, 43% des Canadiens sont allés sur internet pour effectuer de la recherche concernant des produits, ou pour faire du "lèche-vitrine". Parmi ces personnes, une majorité (64%) a déclaré avoir fait subséquemment un achat directement dans un magasin. Les articles les plus populaires pour le lèche-vitrine étaient les appareils électroniques grand public, comme les appareils photo et les magnétoscopes, les ameublements, comme les gros électroménagers et les meubles, ainsi que les vêtements, les bijoux et les accessoires[53]. »

53. Site de Statistique Canada: <http://www.statcan.gc.ca/daily-quotidien/081117/dq081117a-fra.htm>.

Résumons. Les ventes sur le web augmentent considérablement année après année et ne sont pas limitées à des objets de faible valeur, atteignant même jusqu'à 5 000 $ CAN. Ceux qui achètent le plus en ligne appartiennent à la catégorie des 25 à 34 ans, ceux-là mêmes qui sont le plus susceptibles d'acheter les produits issus des nouvelles technologies, lesquels sont parmi les plus populaires dans les achats en ligne. L'étude démontre même que le commerce électronique n'est pas un substitut au commerce en magasin ; soit il s'y ajoute, soit il mène subséquemment à la consommation dans un point de détail ayant pignon sur rue ; dans les deux cas l'achat est fréquemment porté à une carte de crédit. Ajoutons à ces éléments le fait que le consommateur est désormais sollicité directement en ligne, par exemple lorsqu'une publicité lui est présentée avant le visionnement d'un reportage sur vidéo provenant d'un grand média présent sur le web, qui y voit là une source de revenus intéressante. N'oublions pas non plus la publicité mobile, qui « devrait prendre son essor dans les deux à trois ans à venir, portée par les applications sur téléphones comme l'iPhone et les réseaux sociaux[54] ».

Nous croyons que plusieurs facteurs liés aux technologies de la communication modernes démontrent que ces dernières ont contribué à l'instauration de la société d'hyperconsommation que nous connaissons aujourd'hui : 1. Une sollicitation accrue et moins filtrée que celle véhiculée par les médias traditionnels telles la télévision et la radio suscite davantage d'envies et de désirs, entre autres pour les produits issus de la technologie ; 2. La rapidité et la facilité avec lesquelles se font les achats sur le web favorisent la consommation impulsive ; 3. Les achats sur internet sont souvent portés à une carte de crédit, favorisant un endettement excessif, un des facteurs responsables de la crise économique actuelle ; 4. Comme l'ordinateur personnel, le téléphone portable et le réseau internet ont contribué à réduire le contact humain direct, de personne à personne, isolant physiquement les gens et exacerbant l'individualisme, puis l'égoïsme par un effet d'entraînement, cette dérive des valeurs étant directement responsable de la montée de la consommation dans nos sociétés.

L'avènement du Web 2.0 annonce un retour de l'internet à ses origines, soit un système d'échange de données et d'idées en ligne avec

54. Site Reuters France : <http://fr.reuters.com/article/technologyNews/idFRPAE55S0B620090629?sp=true>.

en prime la création de multiples réseaux sociaux. Ce réseautage se fait-il en réaction à l'isolement physique ? De quelle nature sont les échanges du web social ? Quels effets les réseaux sociaux auront-ils sur la société d'hyperconsommation ? Voilà quelques-unes des questions auxquelles nous tenterons de répondre dans le prochain chapitre.

Chapitre 4
Les usages sociaux du web

Avant d'examiner les usages sociaux du web, il importe de faire un historique du Web 2.0. Contrairement à ce que son nom peut évoquer, le Web 2.0 n'est pas une évolution technologique de l'internet, un peu comme la version 2.0 d'un logiciel est plus avancée que la version 1.0. C'est plutôt un changement dans la façon d'envisager le web et dans les pratiques qui y ont cours. À l'origine de la transformation, Larry Page et Sergey Brin créent, en 1996, BackRub, qui deviendra Google l'année suivante, un robot de recherche qui « détermine la meilleure page sur un sujet donné en analysant celle qui a le plus de liens provenant d'autres pages sur le même sujet [1] ». C'est le principe même du réseau social, c'est-à-dire une toile complexe d'interactions reflétant les intérêts des internautes, les principaux acteurs de l'internet, car sans eux le web que nous connaissons n'aurait aucune raison d'exister. Le Web 2.0, c'est un peu un retour aux origines de l'internet. Il ne faut pas oublier que dès ses débuts le web a été pensé et créé pour favoriser les échanges d'idées et de contenus, entre des chercheurs d'abord, entre les membres d'une

1. Site Information Week, « A brief history of Web 2.0 » : <http://www.informationweek.com/1113/IDweb20_timeline.jhtml>.

communauté élargie à toute la planète ensuite. Ce retour aux origines se heurte toutefois à une dure réalité : qui va payer pour l'imposante infrastructure de matériel et de logiciels ?

Rappelons qu'à l'origine l'internet était subventionné par l'Advanced Research Projects Agency (ARPA), une agence chargée de superviser tous les projets de recherche liés au domaine de la défense ; l'évolution du web en un réseau *public* mondial a entraîné la modification de son mode de financement. C'est le secteur privé qui a pris la relève, motivé bien sûr par la perspective de rejoindre des clientèles distribuées aux quatre coins du globe, et donc de faire des profits fabuleux. Ce faisant, l'internet est devenu à la fois média de communication de masse, canal de distribution et objet de consommation ; de multiples entreprises ont d'abord utilisé la toile pour annoncer leurs produits et services, puis pour les vendre en ligne. D'autres se sont chargées de vendre des accès internet aux personnes désireuses de naviguer sur ce réseau. Toutes ces activités s'inscrivent dans la perspective d'un modèle d'affaires traditionnel « vendeur-client » ; seul le média change. Le Web 2.0 a entraîné le développement d'un modèle d'affaires différent selon lequel certaines sociétés, Google par exemple, tirent la majorité, voire la totalité, de leurs revenus non pas de leur clientèle directe, c'est-à-dire les usagers de leurs services, mais de « clients-annonceurs », c'est-à-dire d'entreprises auxquelles elles vendent l'accès à d'immenses clientèles d'utilisateurs à qui commercialiser leurs propres produits. En fait, ce principe est le même que celui utilisé depuis des lustres par les médias traditionnels, la radio, la télévision et les journaux par exemple, pour vendre du temps ou de l'espace publicitaire à des annonceurs. Dans les médias, cela a conduit à la course à la cote d'écoute, ou au lectorat, selon le cas, avec toutes les dérives qui s'ensuivent concernant la diffusion d'une information objective ; ces mêmes effets pervers se sont communiqués à l'internet et d'autres s'y sont même ajoutés. L'avènement du Web 2.0, bien que promettant un retour aux sources sur le plan des échanges d'idées, ne change en rien la nature désormais mercantile de l'internet ; bien au contraire, comme nous le verrons un peu plus loin, cette évolution a fait surgir sur la planète des millions d'entrepreneurs désireux de faire fortune en vendant quelque chose.

Revenons au thème central de ce chapitre, les usages sociaux du web. En 1997, « Jorn Barger, auteur du site Robot Wisdom, crée le terme "weblogs" pour décrire ce que lui et d'autres pionniers de l'internet font sur leurs sites». En 1999, «Peter Merholz, auteur du weblog Peterme, annonce qu'il prononcera désormais le mot "weblog" comme "we blog" [nous blogons], qui est inévitablement raccourci au mot "blog", dont l'auteur est appelé un "blogger" [blogueur][2]». En août 1999, Google lance Blogger, la première application en ligne, faisant du blog une pratique grand public. C'est un tournant, car, jusqu'alors, la publication de contenus sur le web était une pratique réservée à des sociétés et quelques initiés.

Darcy DiNucci utilise pour la première fois l'expression «Web 2.0» en 1999: «Le Web tel que nous le connaissons maintenant, qui télécharge dans la fenêtre d'un navigateur des écrans essentiellement statiques, n'est qu'un embryon du Web à venir. Les premiers miroitements du Web 2.0 commencent à apparaître, et nous commençons tout juste à voir comment cet embryon pourrait se développer [...]. Le Web sera compris non pas comme des écrans chargés de texte et de graphiques, mais comme un mécanisme de transport, l'éther par lequel est générée l'interactivité[3].»

On franchit une autre étape en janvier 2001 avec l'arrivée de Wikipédia, l'encyclopédie populaire et collaborative en ligne; elle exploite la sagesse populaire (*wisdom of the crowds*), sur laquelle se penchera par la suite James Surowiecki dans un livre[4]. Le site de maillage social MySpace fait ensuite son apparition en janvier 2004, permettant pour la première fois aux usagers du web de construire un réseau d'amis et d'afficher des informations sur eux-mêmes, des photos et bien d'autres choses. Le site Flickr, spécialisé dans le partage de photos, fait son apparition en février de la même année; il est conçu de façon à pouvoir partager les contenus avec plusieurs autres applications sociales du web. L'année 2004 est décidément fructueuse pour le web social, car la première conférence Web 2.0 a lieu en octobre[5]; c'est à partir de ce moment que se popularisera l'expression «Web 2.0». Finalement, en novembre de la même année, Digg lance un site social fondé sur un principe inédit: les informations proposées comme

2. *Ibid.*

3. D. DiNucci, «Fragmented Future», *Print*, vol. 53, nº 4, 1999, p. 32.

4. J. Surowiecki, *Wisdom of the Crowds*, New York, Doubleday, 2004.

5. Site O'Reilly, Web 2.0 Conference: <http://conferences.oreillynet.com/web2con/>.

contenus par les usagers du site sont soumises au jugement de l'ensemble de la communauté. Une fois soumis, le contenu est immédiatement placé dans la rubrique « Prochaines news » (*Upcoming Stories*), où les membres peuvent le trouver et voter pour ou contre ; sur le site anglais les usagers peuvent utiliser leur profil Facebook pour se connecter, une fonctionnalité qui ne semble pas exister sur Digg-France.

Le web social, ce n'est donc pas un usage du web ; c'est toute une série d'applications qui permettent aux gens d'interagir et de diffuser des contenus. Même si, à strictement parler, la téléphonie mobile n'est pas à inclure avec l'internet, nous choisissons d'en présenter ici certaines utilisations, car les téléphones mobiles sont maintenant reliés à l'internet et permettent d'en utiliser plusieurs applications. Commençons par le mail, ou courrier électronique.

Le mail

Le mail est une forme d'interaction sociale qui a débuté bien avant l'avènement du Web 2.0 ; en réalité, nous l'avons dit, ce fut la première utilisation de l'Arpanet. En fait, avec le téléchargement de fichiers, ce fut le seul usage du réseau jusque dans les années 1990 et c'est, encore aujourd'hui, l'utilisation la plus répandue. Cette invention est révolutionnaire, tant par son instantanéité, par rapport à la lettre papier, que par le fait de réduire à néant le coût d'une communication à longue distance, par rapport à l'appel téléphonique qui comporte des frais parfois élevés pour les appels interurbains et outremer. De fait, l'abonnement à un accès internet inclut habituellement l'inscription gratuite à un certain nombre d'adresses de courrier électronique ; d'ailleurs, même si tel n'était pas le cas, Microsoft, Google, Yahoo et d'autres se feraient un plaisir de vous offrir une adresse de courrier électronique gratuite afin de pouvoir ajouter votre nom à leur liste d'utilisateurs, augmentant encore un peu la valeur commerciale de celle-ci. En outre, une fois abonné à internet, vous pouvez expédier un nombre illimité de messages sans frais additionnels et sans égard pour la distance qui vous sépare de votre correspondant.

Scott McNealy, fondateur et président-directeur général de Sun Microsystems, illustre à merveille l'importance qu'a prise le mail : « Enlevez-nous n'importe laquelle des trois cents ou quatre cents applications que nous utilisons et notre société [entreprise] survivrait. Mais enlevez-nous le courrier électronique et tout s'arrêterait sur-le-champ[6]. » Tant sur le plan personnel que professionnel, l'envoi de messages par voie électronique est devenu incontournable. « C'est un mode de communication qui permet aux interlocuteurs d'écrire et d'envoyer des messages très rapidement. Si les destinataires sont connectés au moment où les messages sont expédiés, les expéditeurs peuvent recevoir une réponse très rapidement, ce qui rend possible une relation épistolaire soutenue, composée d'une séquence de plusieurs interactions, même dans l'espace d'une journée[7]. » Effectivement, ignorant la distance, le mail ne met que quelques secondes, parfois un peu plus, pour parvenir à son destinataire, alors que la lettre expédiée par voie postale pourra être livrée au mieux, dans l'espace national, le lendemain, et plusieurs jours plus tard à l'étranger.

Cela dit, l'usage du mail a vu se développer des comportements de communication parfois inusités, voire déviants. Peut-être parce que le mail appartient à un monde virtuel qui déteint sur l'interlocuteur? Peut-être que, à l'image de l'ordinateur qui lui sert de support, cette forme de communication est plus froide que celle qui a lieu face à face, que le téléphone ou même la lettre? Peut-être qu'une transformation des usages sociaux est en cours? Toujours est-il que, de la même façon que certains ne répondent pas lorsque le téléphone sonne et ne prennent pas non plus connaissance des messages laissés sur leur boîte vocale, ou le font de façon très irrégulière, d'autres, peut-être les mêmes, ne lisent pas les messages qui leur sont expédiés par mail ou n'y répondent tout simplement pas, prétextant parfois la surcharge de travail ou le grand nombre de messages quotidiens. Si, dans la sphère personnelle, l'habitude n'est qu'un agacement, elle est irrespectueuse, irresponsable et parfois dangereuse en affaires et dans la sphère professionnelle. Si certains ne répondent pas, d'autres le font avec un manque de courtoisie flagrant, parfois même avec une agressivité peu commune, comme si la nature du média leur faisait perdre leur retenue, ce que n'autorisent pas les conventions sociales dans le cas d'une

6. Cité dans M. Vachon, « Courrier électronique : un élément rentable », dans V. Emery, *Faire des affaires sur Internet*, trad. G. Gladu, Repentigny, Reynald Goulet, 1997, p. 183.

7. S. Proulx, *La révolution internet en question*, Montréal, Québec Amérique, 2004, p. 37.

conversation téléphonique ou face à face. Une autre tactique favorite des rustres du mail est d'expédier un message en toute fin de journée le vendredi afin que le destinataire ne puisse régler la question avant le lundi suivant, traînant donc le problème avec lui tout le week-end. Non contents de répondre agressivement, certains prennent l'univers à témoin en ajoutant une liste interminable de destinataires en copie à leur message, le but évident étant de mettre le correspondant dans l'embarras et d'exercer sur lui une pression morale.

Mais la chose la plus décisive sans doute est que nous recevons quotidiennement un déluge de messages. Le courrier électronique permettant l'envoi instantané et simultané à des centaines, voire des milliers de destinataires, une industrie de la sollicitation, parfois honnête, parfois frauduleuse, a vu le jour. Le volume de messages électroniques devient souvent un problème: hormis les messages de nos correspondants légitimes, nous recevons chaque jour des offres non sollicitées pour des produits, biens et services, de toutes sortes, sans compter les mails indésirables, allant de l'offre de tel médicament au rabais à la tentative de subtiliser des informations personnelles et bancaires. Pour donner une idée du volume de messages électroniques qui circulent autour de la planète, le service de l'informatique et des télécommunications de l'université du Québec à Montréal affirmait recevoir «3 000 000 courriels par jour dont près de 2 800 000 [...] bloqués avant d'être livrés[8]». Et l'université n'est pas un fournisseur de courrier électronique grand public; son service de l'informatique et des télécommunications fournit en fait moins de 150 000 boîtes de courrier au personnel et aux étudiants. C'est plus de cent milliards de messages électroniques qui circulent chaque jour, dont environ 94% sont indésirables. Certains changent leur adresse électronique dans l'espoir que la nouvelle leur procurera un peu de répit; il sera de courte durée.

Le courrier électronique est l'usage le plus populaire du web; ainsi la messagerie électronique s'inscrit en quelque sorte dans son prolongement.

8. Site du SITel: <http://www.sitel.uqam.ca/default.aspx?pageid=651&niv=0>.

La messagerie électronique et le forum de discussion

Contrairement à la croyance populaire, l'usage de la messagerie instantanée, aussi connue sous le nom de *chat* (dialogue en ligne, clavardage), n'a pas commencé avec l'internet; comme le mail, elle a fait son apparition bien avant. Cette forme de communication «a d'abord été utilisée dans les années 1960 avec des systèmes multi-utilisateurs, tels Multics. Au début, l'envoi de messages instantanés obligeait les utilisateurs à être connectés au même système ou ordinateur [...]. À la fin des années 1980 et au début des années 1990, cette forme de communication est devenue commune entre les personnes enregistrées dans le même réseau en même temps. Les messages instantanés étaient alors appelés messages en ligne ou OLM [*online messages*]. L'une des premières entreprises à offrir de tels messages instantanés fut America Online, qui utilise l'expression AOL *instant messages.* Les gens du monde entier ont sauté sur l'occasion d'avoir AOL sur leurs ordinateurs afin de pouvoir parler à leurs amis et leur famille. La messagerie instantanée a changé depuis les années 1990. Aujourd'hui les gens ne sont pas limités à utiliser l'ordinateur pour *chatter* avec d'autres personnes. Ils peuvent maintenant se connecter à internet avec des téléphones cellulaires et des assistants numériques personnels [PDA], et accéder ainsi à leurs programmes de messagerie instantanée[9].»

Sur un ordinateur branché à internet, différentes applications, offertes par plusieurs fournisseurs, permettent d'utiliser la messagerie instantanée, avec ou sans webcam: AIM, ICQ, Jabber, Windows Live Messenger, Yahoo Messenger, etc. On peut également accéder à certains de ces services de messagerie instantanée par téléphone portable, à la condition que celui-ci puisse être branché à internet. Le téléphone portable offre également la possibilité d'utiliser une autre forme de messagerie, instantanée elle aussi, la messagerie texte, qui permet l'envoi de messages courts ou *textos*, également connus sous le nom de SMS (*short message service*), sans passer par internet. À la condition de connaître l'adresse du serveur utilisé par le fournisseur, il est également possible d'expédier un texto d'un ordinateur branché à internet à un téléphone portable branché à un réseau cellulaire.

9. Site EasyMesaging.com: «http://www.easymessaging.com/>.

En outre, si le mail et le *chat* sur un ordinateur nous ont habitués aux pièces jointes à un message, photo, vidéo ou autre document, le téléphone portable n'est pas en reste ; l'accès à une messagerie multimédia, ou MMS (*multimedia message service*), sur réseau cellulaire, et au mail, sur internet, permettent l'envoi de fichiers. Ainsi, la photo d'un magnifique coucher de soleil prise avec un téléphone portable pourra être aussitôt partagée avec des amis et des proches.

Le forum de discussion est une autre forme d'échange apparentée au mail et à la messagerie électronique : « Les forums, également appelés forums de discussion, e-forums, panneaux d'affichage, panneaux d'annonce, "Bulletin Board", "Discussion Board", "Message Board", "News", etc., fonctionnent comme le mail. La différence réside dans le fait que vous n'envoyez pas votre message à une personne, mais à un serveur. Votre texte est ensuite publié par le serveur de manière à pouvoir être lu par toutes les personnes autorisées. C'est vous qui choisissez où et quand vous désirez qu'il apparaisse[10]. »

Le forum de discussion est lui aussi antérieur à l'internet : « Tout juste avant le début des années 1980, deux étudiants de l'université Duke (Jim Ellis et Tom Truscott) ont expérimenté une méthode efficace pour transmettre des mails et transférer des fichiers de façon efficace et claire, qui n'existait tout simplement pas en 1979. L'idée était de permettre aux utilisateurs de partager des mails et des fichiers en utilisant une approche organisée sous la forme d'un forum scindé en catégories d'actualité. Ils l'ont appelé "l'ARPANET du pauvre" [...]. Ils ont appelé ce trésor USENET[11]. »

Aujourd'hui encore, cet outil est très utilisé par les fournisseurs de logiciels pour offrir un service technique nuit et jour à la clientèle, avec un personnel dédié ou avec la collaboration de la communauté d'usagers. Ainsi, la fondation Mozilla propose toute une série de forums sur divers sujets ; pour chacun des logiciels, Firefox, Thunderbird, SeaMonkey et d'autres, on trouve plusieurs forums, chacun portant sur un sujet précis (le support, les généralités, les différentes versions, les caractéristiques et les bogues). Dans chacun des forums, on trouve les

10. Site Forum New Learning : <http://www.fnl.ch/LOBs/LOs_Public/forumwasF.html>.

11. Site NewsDemon : <http://www.newsdemon.com/history-of-usenet/beginning.php>.

questions déjà posées par des usagers, auxquelles ont répondu d'autres usagers; si vous ne trouvez pas réponse à votre question, vous pouvez soumettre une nouvelle question. Dans un forum de discussion, chaque sujet est traité dans un «fil de discussion» (*thread*). Celui qui affiche le premier message est le point d'origine de ce fil, puis chacune des interventions subséquentes alimente une suite logique d'échanges, la date et l'heure étant chaque fois clairement indiquées; ainsi, tout membre du forum peut juger de l'à-propos des interventions, voir si elles ont satisfait celui qui a affiché la question, le problème ou le thème d'origine et même ajouter un commentaire de son cru s'il estime pouvoir apporter un complément d'information utile.

L'utilisation sur une large échelle du mail, de la messagerie électronique et des forums de discussion a entraîné une modification profonde de la langue écrite; la nature instantanée du mail a favorisé l'émergence d'un langage se prêtant bien à des messages brefs. Chez certains utilisateurs ce phénomène est constant, chez d'autres il est sporadique, variant selon l'interlocuteur et la circonstance. Des abréviations se substituent aux expressions. En voici quelques exemples: «à plus tard» remplacé par «a+»; «bonjour» remplacé par «bjr»; «qu'est-ce que c'est» remplacé par «kesk C»; «quoi de neuf» remplacé par «koi29»; «pourquoi» remplacé par «pk»; «rien à faire» remplacé par «raf». Rien pour améliorer l'orthographe et la maîtrise de la langue! En outre, de petites icônes, les émoticônes, ou binettes, permettent d'exprimer une émotion ou une idée sans avoir à l'exprimer en mots; ainsi le *smiley* souriant pour exprimer le rire ou la joie[12].

Passons maintenant aux applications plus récentes du web, en commençant par le blog.

Le blog

Le blog est une page web interactive mise à jour régulièrement, en principe, par son ou ses auteurs, les billets, articles ou chroniques apparaissant dans l'ordre inverse de leur publication. Des deux côtés de l'Atlantique, on a cherché à créer une terminologie propre à décrire

12. Bruno Guglielminetti, réalisateur à Radio-Canada et chroniqueur technologique, a répertorié ces *smileys* composés de caractères dans un dictionnaire, voir: <http://www.guglielminetti.com/binettes.html>.

cette pratique, mais le mot *blog* demeure le plus répandu dans la langue courante et même dans de grands médias français [13].

Puisque Blogger est l'application qui a popularisé l'usage du blog, voyons ce que Google a à dire de cette pratique: « Un blog peut être un journal personnel. Une tribune. Un lieu d'échanges. Un lieu de débat politique. Une source de scoops. Une liste de liens. Vous pouvez vous en servir pour donner votre avis. Et faire entendre votre voix dans le monde [...]. En résumé, un blog est un site web sur lequel vous ajoutez continuellement des éléments. Les ajouts sont affichés en haut de la liste, afin que les internautes accèdent directement aux nouveautés. Ils peuvent ensuite communiquer leurs commentaires, créer des liens vers votre blog ou vous envoyer un e-mail. Ou ne rien faire [14]...» Sur les blogs peu connus, on constate de fait que les commentaires se font rares.

Depuis que Blogger a fait du blog un phénomène grand public en 1999, cette pratique a révolutionné le monde des médias. Si la lettre ou le commentaire à l'éditeur étaient jusqu'alors les moyens les plus usuels de faire connaître publiquement son opinion, le forum sur internet étant plutôt réservé à des initiés, le blog permet dès lors à toute personne désireuse de le faire de commenter l'actualité ou d'exprimer une opinion et de mettre ce contenu en ligne sur internet, de sorte qu'il puisse être lu par tous les internautes. Encore faut-il que les abonnés du web connaissent l'existence du blog en question, ce qui n'est pas toujours le cas à moins d'avoir déjà établi un réseau de contacts.

« On retrouve parmi les créateurs de blogs toutes les couches de la population, mais c'est auprès des adolescents que ce média connaît le

---

13. En octobre 2000, l'Office québécois de la langue française propose le terme blogue « pour remplacer les termes anglais weblog (de web et de log, "journal, carnet") et blog, très employés en français. Le mot blogue a permis la création de plusieurs dérivés, dont bloguer, blogueur et blogage, qui sont de plus en plus répandus » (Office québécois de la langue française: <http://www.granddictionnaire.com/btml/fra/r_motclef/index800_1.asp>). On mentionne également comme synonymes les expressions carnet web et cybercarnet. En mai 2005, la Commission générale de terminologie et de néologie de France, considérant vraisemblablement que les contenus publiés sont des notes, propose quant à elle d'utiliser la locution bloc-notes, qui désigne déjà à la fois un petit carnet et un logiciel d'édition de texte simplifié de Microsoft (FranceTerme: <http://franceterme.culture.fr/FranceTerme/>).

14. Site Blogger (français): <https://www.blogger.com/start>.

plus grand succès. Selon une étude réalisée en France par le CLEMI en mars 2005, les blogs des jeunes se différencient de ceux des adultes par leur aspect communautaire: ils leur permettent de maintenir un contact permanent avec leurs amis et la culture adolescente. Les jeunes s'y expriment plus particulièrement sur leur vie et surtout leurs passions (sport, musique, mode, stars, etc.)[15].» Simple, rapide, interactif et dynamique, voilà les qualités qui distinguent le blog de la simple page web; ajoutons le fait que de nombreux sites proposent des applications pour créer un blog et l'héberger *gratuitement* et vous comprendrez l'engouement qu'a suscité le blog à une certaine époque. Encore aujourd'hui, cette pratique compte des adeptes par millions, malgré que d'autres applications permettant la publication de contenus sur le web ont maintenant la vedette, comme nous le verrons lorsque nous aborderons le thème des sites de réseautage social: « Il n'existe aucune mesure officielle pour compter les blogs. Néanmoins, on estime que la France se place au 4e rang mondial en terme de création de blog avec 9 millions de blogs (dont 2,5 actifs). La France se place derrière les États-unis (50 millions de blogs), la Chine (36 millions), le Japon (10 millions)[16].» Ces millions de blogueurs, à travers ce qu'ils pensent être l'expression de leur liberté et de leurs intérêts, créent gratuitement des contenus, attirant d'autres millions d'usagers du web sur leurs blogs et par conséquent sur les sites qui les hébergent, rendant la machine publicitaire chaque fois plus profitable pour les propriétaires de ces entreprises issues du Web 2.0.

Un fait intéressant est à noter: les blogs ne sont habituellement pas une source d'informations inédites. Ils sont plutôt à la remorque des grands médias, les commentaires y apparaissant après la diffusion de la nouvelle, comme le démontre une étude récente réalisée à l'université Cornell: «Nous élaborons un système pour suivre des phrases courtes et caractéristiques qui se diffusent relativement intactes grâce au texte en ligne; développant des algorithmes évolutifs pour regrouper les variantes textuelles de ces phrases, nous identifions de grandes classes de mèmes qui présentent quotidiennement une large diffusion et une riche variation. Comme principal domaine d'étude, nous montrons comment cette approche de repérage de mèmes peut fournir une représentation

---

15. Site Franc-Parler: <http://www.francparler.org/parcours/blogs.htm>.
16. Site Orange: <http://assistance.orange.fr/1592.php?dub=2>.

cohérente du cycle des informations — ces rythmes quotidiens dans les médias qui ont longtemps fait l'objet d'une interprétation qualitative, mais n'ont jamais été colligés avec une précision suffisante pour permettre une analyse quantitative. Nous avons relevé 1,6 million de sites des principaux médias et de blogs sur une période de trois mois, totalisant 90 millions d'articles, et nous avons trouvé un ensemble de tendances nouvelles et durables dans le cycle des informations. Nous avons ainsi noté, entre les médias et les blogs, un décalage moyen de 2,5 heures pour ce qui est des pics d'attention pour une phrase donnée [...].» Cela donne lieu à un modèle de transfert ressemblant à un «battement de cœur» entre l'actualité et les blogs[17].

Il en va tout autrement pour d'autres applications du web social, entre autres les sites de réseautage; dans ces cas, ce sont les grands médias qui sont à la remorque de Twitter et de Facebook, par exemple. Nous y reviendrons. Pour l'instant, penchons-nous sur un autre phénomène du Web 2.0, le *wiki*, la construction d'un site web en collaboration avec tous ses usagers.

Le wiki

Même si on reconnaît à Wikipédia le mérite d'avoir popularisé la pratique du wiki en 2001, ses créateurs, Larry Sanger et Jimmy Wales, n'en sont pas les inventeurs; c'est à Ward Cunningham que revient cet honneur et son invention remonte à 1995. Le nom wiki, dit-on, est inspiré de l'expression «wiki wiki», qui signifie «vite» en langue hawaïenne[18]. Et un wiki est en effet un site web qui peut être mis à jour rapidement, facilement et par des personnes ne disposant pas de com-

---

17. J. Leskovec, L. Backstrom, J. Kleinberg, «Meme-tracking and the dynamics of the news cycle», *Proceedings of the 15th ACM SIGKDD International Conference on Knowledge Discovery and Data Mining*, 2009; <http://www.cs.cornell.edu/home/kleinber/kdd09-quotes.pdf>. Le terme «mème», utilisé pour décrire de courtes phrases, est vraisemblablement dérivé de «memex», un nom arbitraire donné par Vannevar Bush à une machine qu'il imagine, dédiée au stockage, au classement et à l'indexation de données, lorsqu'il énonce les principes des liens hypertexte associatifs essentiels au fonctionnement de l'internet.

18. J'avoue avoir été surpris par cette anecdote, car ayant séjourné à plusieurs reprises dans cet archipel, j'ai pu constater que la philosophie de sa population s'inspirait davantage du *farniente* que de la vitesse. On y utilise

pétence technologique ; un peu comme une application résidant sur un serveur permet de créer et de mettre à jour un blog, un logiciel de gestion de contenus également hébergé sur un serveur permet de créer et de modifier les contenus d'un wiki en utilisant un simple navigateur. Toutefois, contrairement au blog dont les chroniques ou billets sont rédigés par un auteur, parfois quelques-uns dans le cas de blogs collectifs, les contenus d'un wiki sont le fruit d'un travail collectif de ses usagers, parfois de ses seuls membres dans les cas où il est nécessaire de s'enregistrer sur le site pour avoir la permission de modifier les contenus. Par exemple, n'importe quel visiteur peut modifier une page de Wikipédia, mais l'adresse IP[19] de l'ordinateur de cette personne s'enregistre alors dans l'historique de cette page. Pour éviter cet inconvénient, il est recommandé de créer un compte et de s'enregistrer sur le site avant d'effectuer des modifications. Si la plupart des wikis sont ouverts au grand public de l'internet, certains restreignent l'accès aux contenus à leurs seuls membres, vraisemblablement à des fins commerciales, puisqu'une base de données de millions d'usagers a une valeur marchande sur le web.

Afin de mieux comprendre les similarités et les différences qui existent entre les applications du web traditionnel et celles du Web 2.0, comparons deux encyclopédies : la très renommée *Encyclopædia Britannica*, maintenant consultable en ligne, et Wikipédia, l'encyclopédie collaborative. Première différence majeure, des publicités apparaissent seulement sur le site de Britannica. Autre différence, la consultation des sujets est gratuite sur Wikipédia, alors qu'on doit acheter un abonnement pour consulter les rubriques de Britannica. Cette dernière s'est cependant adaptée au Web 2.0.

Prenons la bombe atomique. Voici la définition qu'en donne Britannica : « Arme d'une grande puissance explosive qui résulte de la libération subite d'énergie lors de la division, ou fission, du noyau d'éléments lourds tels le plutonium ou l'uranium. » Pour les termes *division*, *fission*, *éléments lourds*, *plutonium* et *uranium*, des hyperliens

---

d'ailleurs une gestuelle pour inviter les gens à se détendre : le pouce et l'auriculaire en extension, les autres doigts refermés sur la paume, on agite la main dans un mouvement rotatif de va-et-vient en disant « hang loose » ou « shocka », en langue hawaïenne.

19. L'adresse IP (*internet protocol*) est une identification unique pour tout matériel connecté à un réseau utilisant le protocole internet.

renvoient à d'autres rubriques. Les renvois sont tous pertinents, excepté celui de fission, qui affiche l'explication de la fission binaire, ou reproduction asexuée. Comme vous voyez, la complexité des interrelations créées sur le web rend très difficile la tâche de mise à jour des contenus, même pour une organisation aussi grosse et prestigieuse qu'*Encyclopædia Britannica*. Suivent plusieurs paragraphes d'informations scientifiques et historiques détaillées dans un texte continu. Des photos accompagnent les textes de même qu'une vidéo présentant la mission du bombardier Enola Gay sur Hiroshima et les effets destructeurs de cette première utilisation d'une bombe atomique. La rubrique se termine sur un article portant sur le contexte politique, militaire et historique qui caractérise la fin de la guerre dans le Pacifique. Britannica ne cite pas ses sources, jugeant sans doute inutile de le faire vu sa rigueur mondialement reconnue.

Voyons maintenant ce que dit Wikipédia sur le même sujet: « La bombe A, communément appelée bombe atomique, bombe à fission ou bombe nucléaire, est basée sur le principe de la fission nucléaire et utilise des éléments fissiles comme l'uranium 235 et le plutonium 239. » Pour les termes *fission nucléaire*, *fissibles*, *uranium* et *plutonium*, des hyperliens renvoient à d'autres rubriques. Cette fois, les renvois sont tous pertinents. Suivent plusieurs paragraphes d'informations détaillées, surtout technologiques, dans un texte structuré par sujet et précédé d'un sommaire, une table des matières en fait, dont chaque élément renvoie au sujet correspondant dans le texte à l'aide d'un hyperlien. Une seule photo accompagne le texte, mais quatre graphiques, dont un animé, détaillent le fonctionnement de ce type de bombe. Les auteurs — nombreux, anonymes puisque identifiés seulement par un pseudonyme ou une adresse IP — précisent que l'article est issu en partie ou en totalité d'un article correspondant en langue anglaise dans Wikipédia, un hyperlien permettant d'accéder à celui-ci. L'article en anglais cite d'abondantes sources que l'article en français ne reprend pas; les auteurs de ce dernier ajoutent cependant deux sources de leur cru et réclament une référence sur un point technique précis. La version anglaise est beaucoup plus élaborée.

Le parallèle que nous venons de faire entre ces deux encyclopédies si semblables par certains côtés, si différentes par d'autres, nous permet de formuler quelques constats. Le plus évident est que les outils du Web 2.0 ont permis à une organisation qui ne compte même pas dix ans d'existence, Wikipédia, de concurrencer une institution plus que deux fois centenaire, *Encyclopædia Britannica*, en faisant appel à la collaboration bénévole et anonyme de millions d'individus. Chacune exploite les forces qui lui sont propres. Les articles de Britannica s'inscrivent dans une longue tradition intellectuelle; rédigés par des spécialistes, ils sont destinés à transmettre un savoir rigoureux et à servir de référence à des universitaires, leurs contenus sont scientifiques, conceptuels et historiques. Wikipédia, l'encyclopédie libre à l'usage du peuple, n'a qu'une courte tradition. Malgré tout, désireuse de construire une réputation de rigueur, elle s'appuie sur des principes de neutralité des contenus et de vérifiabilité: « *Wikipédia* recherche la neutralité de point de vue, ce qui signifie que les articles ne doivent pas promouvoir de point de vue particulier. Parfois, cela suppose de décrire plusieurs points de vue; de représenter chacun de ces points de vue aussi fidèlement que possible, en tenant compte de leur importance respective dans le champ des savoirs; de fournir le contexte nécessaire à la compréhension de ces points de vue [...]; et de ne présenter aucun point de vue comme étant la vérité ou le meilleur point de vue. Ceci implique de permettre la vérification des informations en citant les sources, particulièrement dans le cas de sujets controversés; sources faisant autorité dans leur domaine respectif. »

Plusieurs pages détaillent ces principes et expliquent comment les mettre en pratique. On comprend aisément que la publication d'une telle œuvre collective n'est pas une sinécure. Cette encyclopédie est très différente d'un livre collectif dans lequel chaque chapitre est écrit par un auteur différent, chacun étant libre de ses opinions; chaque article de Wikipédia peut être le fruit de dizaines d'auteurs, voire davantage, à qui on demande de tolérer les divergences de points de vue. Il en résulte des articles parfois très détaillés sur des sujets controversés, exposant des positions diamétralement opposées, laissant le lecteur se forger une opinion. Wikipédia va plus loin que Britannica dans la vulgarisation; souvent plus technique qu'historique, elle s'adresse à un grand public désireux de trouver réponse à la question « Comment ça fonctionne? ». Les contenus font donc davantage appel aux outils des technologies de l'information et du Web 2.0, entre autres les aides visuelles animées et les hyperliens.

Wikipédia remplacera-t-elle bientôt Britannica? Rien n'est moins sûr. Elle n'est d'ailleurs pas à l'abri des critiques. Le plus acerbe est sans doute Larry Sanger, cofondateur du projet, mais qui s'en est retiré en 2002. Selon lui, Wikipédia fait face à deux problèmes sérieux : un manque de crédibilité auprès du public, et une prédominance de personnes qui publient des contenus controversés ou provocateurs (les *trolls*), malgré le processus de médiation des administrateurs et des arbitres. Ces deux problèmes prennent source dans l'attitude antiélitiste des auteurs, leur manque de respect pour la connaissance authentique. Cela a pour effet de décourager les véritables experts qui ne voudront pas se soumettre à la critique du premier quidam venu avant de pouvoir publier un contenu qui ne fait pas l'unanimité. Il en résulte une encyclopédie du peuple pour le peuple, au sein de laquelle on trouve souvent des informations rigoureuses et d'une grande fiabilité, mais aussi des contenus médiocres et d'une fiabilité douteuse ; d'où la méfiance à l'égard des informations qu'on y trouve, du grand public dans certains cas, mais surtout des libraires, des enseignants et des spécialistes. Cela dit, la pratique de révision par les pairs qui prévaut dans le monde universitaire présente, elle aussi, des lacunes ; les nouvelles idées et théories ont parfois du mal à être acceptées par la communauté, surtout si elles ne s'inscrivent pas dans le courant de pensée dominant (*mainstream*).

Les sites de réseautage social

Le site de réseautage social, ou SNS (*social networking service*), est un concept que Boyd et Ellison définissent comme des « services Web qui permettent aux individus (1) de construire un profil public ou semi-public dans un système délimité, (2) de créer une liste d'autres utilisateurs avec lesquels ils partagent une connexion, et (3) d'afficher et de parcourir leur liste des connexions et celles produites par d'autres au sein du système[20] ».

Le premier réseau social à apparaître sur le web est SixDegrees.com. Lancé en 1997, il est acheté pour la somme de 125 millions par YouthStream Media Networks en 2000, qui en cesse l'exploitation

---

20. D. M. Boyd et N. B. Ellison, « Social network sites : definition, history, and scholarship », *Journal of Computer-Mediated Communication*, vol. 13, nº 1, 2007, article 11 ; <http://jcmc.indiana.edu/vol13/issue1/boyd.ellison. html>.

avant la fin de la même année; en 2003, l'entreprise revend la technologie 700 000 dollars[21].

À compter de 1999, on voit apparaître d'autres SNS; le phénomène prend de l'ampleur à compter de 2002 avec Friendster, le premier d'une nouvelle génération. Malheureusement, des difficultés techniques et un conflit avec certains usagers qui créent des profils personnels fictifs engendrent une perte de popularité; baptisés « Fakesters » (de l'anglais *fake*, « faux »), ces profils sont détruits par l'entreprise. Contre toute attente, Friendster prospère sur d'autres marchés: « Friendster s'est implanté dans les îles du Pacifique, Orkut [Google] est devenu le premier SNS au Brésil avant de croître rapidement en Inde, l'adoption de Mixi s'est généralisée au Japon, LunarStorm a décollé en Suède, les utilisateurs Néerlandais ont adopté Hyves, Grono s'est emparé de la Pologne, Hi5 est adopté dans les plus petits pays d'Amérique latine, d'Amérique du Sud et d'Europe, et Bebo est devenu très populaire au Royaume-Uni, en Nouvelle-Zélande et en Australie[22]. » On constate que le réseautage social sur le web est avant tout un phénomène culturel et que le succès d'un SNS est fonction de sa popularité, souvent évanescente. On compte aujourd'hui des centaines de SNS; attardons-nous sur les deux qui sont les plus populaires aujourd'hui, Facebook et MySpace, sur une étoile montante, Twitter, et sur deux sites spécialisés, LinkedIn et Classmates.

Le premier à s'imposer a été MySpace; il demeurera d'ailleurs en tête du palmarès jusqu'en décembre 2008, époque où il est rejoint puis dépassé par Facebook. Lancé en 2003, MySpace capitalise sur le mécontentement des usagers de Friendster; son fondateur, Tom Anderson, réalise que ce sont les usagers qui dictent les règles dans le monde du réseautage social, et non le fournisseur de service; il favorise par conséquent l'ajout des fonctionnalités que lui suggèrent les usagers de même que la personnalisation des sites individuels. L'achat de l'entreprise en 2005 par News Corporation pour la somme de 580 millions de dollars américains lui confère une notoriété peu commune qui consacre sa domination.

---

21. Site BookRags: <http://www.bookrags.com/wiki/SixDegrees.com>. Voir aussi: <http://socialsoftware.weblogsinc.com/2003/11/12/youthstream-media-networks-sells-the-sixdegrees-com-patent/>.

22. D. M. Boyd et N. B. Ellison, art. cité.

Facebook démarre le 4 février 2004 grâce à un étudiant de Harvard, Mark Zuckerberg; à l'époque, le réseau est d'ailleurs réservé à l'usage exclusif des étudiants de cette institution. En 2005, grâce à des partenaires qui y injectent des centaines de millions de dollars, l'usage est étendu aux étudiants des *high schools*; on ajoute également une fonctionnalité, qui devient rapidement très populaire, le partage de photos. On étend ensuite l'utilisation à des réseaux d'entreprises et finalement au grand public en septembre 2006. En juin 2009, le réseau compte plus de deux cents millions d'usagers actifs, dont la moitié se branchent chaque jour. Le phénomène ne touche pas seulement les adolescents et les jeunes adultes, car la catégorie d'âge qui connaît la plus forte croissance est celle des trente-cinq ans et plus; il est également universel, l'application étant déjà traduite en cinquante langues tandis que quarante autres sont en développement.

Voici quelques statistiques qui permettront de saisir l'ampleur de l'engouement actuel non seulement pour Facebook, mais pour le réseautage social sur le web. En mai 2009, Facebook a attiré 113 014 638 « visiteurs uniques[23] » (1er rang), une augmentation mensuelle de 8,54% et annuelle de 253,74%[24]. Pour la même période, MySpace a attiré 56 885 691 « visiteurs uniques » (2e rang), une augmentation mensuelle de 2,39% et une diminution annuelle de 5,61%. Un petit nouveau, Twitter, connaît une croissance fulgurante; toujours en mai 2009, ce SNS a attiré 19 728 619 « visiteurs uniques » (46e rang), une augmentation mensuelle de 1,47% et annuelle de 1 043,04%. Pour donner une idée de la valeur commerciale de ces entreprises, en juillet 2009, l'offre d'une société russe, Digital Sky Technologies, d'acheter des actions de Facebook au prix de 14,77 $US permet de calculer une valeur globale de 6,5 milliards pour cette dernière[25].

Les enjeux économiques sont énormes: « 2009 est en voie de devenir une année de changements majeurs dans le business des réseaux sociaux. Facebook, qui occupait à une époque une lointaine deuxième position, a surpassé MySpace dans presque toutes les mesures d'utili-

---

23. La statistique « visiteur unique » comptabilise une personne seulement une fois, peu importe le nombre de visites qu'elle effectue en un mois donné; elle est utilisée pour mesurer la popularité d'un site.

24. Site Compete.com: <http://www.compete.com>.

25. Site Reuters UK: <http://uk.reuters.com/article/idUKTRE56C4TH20090714>.

sation et est sur la bonne voie de dépasser son rival dans les dépenses publicitaires d'ici 2011. [...] La publicité payante en ligne sur les réseaux sociaux devrait baisser de 3% cette année, en raison de la piètre performance économique et des difficultés chez MySpace. Toutefois, eMarketer prévoit que les marketeurs américains augmenteront leurs dépenses de 13,2%, à 1,3 milliards de dollars, en 2010[26].»

Apparu en août 2006, Twitter n'est pas vraiment un réseau d'amis; il peut bien sûr être utilisé comme tel, en restreignant l'accès aux commentaires d'une page personnelle aux seules personnes autorisées par son auteur. Toutefois, ce n'est pas là que réside son originalité ou sa plus grande utilité; Twitter est en fait un microblog auquel s'ajoute une fonctionnalité de réseautage social. Offert en deux langues, l'anglais et le japonais, au moment d'écrire ces lignes, Twitter est avant tout un système de routage de messages disposant de fonctionnalités de réseautage social limitées; restreignant les messages à cent quarante caractères, incluant les espaces, il a été conçu dès le départ en fonction des contraintes inhérentes à la messagerie de différentes sources, SMS, web, web mobile, messagerie instantanée ou interface d'une tierce partie (API). Les minimessages, ou *tweeties*, peuvent inclure des hyperliens qui renvoient à des pages web, des photos, des vidéos, etc. Des personnes qui ne sont pas abonnées à Twitter peuvent prendre connaissance des commentaires publiés par tous les auteurs qui n'ont pas restreint l'accès à leurs pages; celles qui sont abonnées au service peuvent évidemment publier leurs propres commentaires, mais également voir s'afficher sur leur page les commentaires des personnes qu'elles décident de «suivre» en devenant ce que le jargon Twitter appelle un *follower*.

Cette fonctionnalité est particulièrement utile dans le domaine commercial, car elle permet à des entreprises d'interagir avec leur clientèle. Les médias s'y intéressent de très près, à la fois comme source d'information et pour diffuser des nouvelles en primeur (*breaking news*); ainsi, le 14 octobre 2009, CNN Breaking News (twitter.com/cnnbrk) apparaissait au quatrième rang mondial avec 2784717 *followers*, selon le site Twitterholic.com. Pour rapporter certaines nouvelles, les médias traditionnels sont maintenant à la remorque du

26. Site MarketResearch.com: <http://www.marketresearch.com/product/display.asp?productid=2391515&xs=r>.

web interactif, souvent appelé Web 2.0: «La mort d'une célébrité aussi mondialement connue que Michael Jackson a démontré jeudi à quel point le web peut devenir en peu de temps complètement monomaniaque. Tout a commencé sur le site à potins TMZ, qui annonçait à 16h30 le transport de Michael Jackson dans un hôpital de Los Angeles. La raison évoquée: une crise cardiaque. Une rumeur rapidement relayée sur Twitter, Facebook, puis par les médias traditionnels. Au fur et à mesure que les détails arrivaient au compte-gouttes, et que le public spéculait sur les forums, une autre course s'engageait, à savoir qui allait confirmer en premier le décès de la star. Encore une fois, TMZ a coiffé au poteau la compétition en publiant à 17h20 sur sa page: "Michael Jackson dies". Il aura fallu bien plus de temps pour que le *L. A. Times* confirme à son tour la nouvelle, et encore plus de temps pour CNN[27].»

D'autres entreprises utilisent la fonction d'interrogation de Twitter, accessible directement et *gratuitement* sur le site Twitter.com, pour savoir ce que les usagers de ce réseau pensent d'elles ou de leurs produits. Quant aux usagers eux-mêmes, plusieurs y ont vu une façon originale de s'enrichir facilement et rapidement, ou à tout le moins d'essayer d'y parvenir. On y annonce de tout, du site de rencontre à la dernière astuce pour devenir millionnaire; c'est en quelque sorte un retour à l'époque de la réclame tapageuse des charlatans de naguère dont nous parle Marcel Bleustein-Blanchet[28]. Le fait que, contrairement à un blog, les commentaires publiés dans Twitter ne peuvent dépasser cent quarante caractères ne favorise certainement pas la profondeur de l'argumentation; c'est sans doute pourquoi il sert principalement à l'affichage de commentaires insignifiants, à l'annonce de nouvelles en primeur ou au renvoi, par le biais d'un hyperlien, à une nouvelle plus étoffée sur le site d'un grand média, à un blog ou à une page web annonçant un produit, par exemple.

Tous ces usages sont gratuits jusqu'à maintenant, car les fondateurs de Twitter n'ont toujours pas choisi un modèle d'affaires pour générer des profits: «Twitter, le pionnier du microblog, est toujours en

27. C. Guy, «La mort d'une légende à l'heure du web», *La Presse*, vendredi 26 juin 2009, p. A6; <http://www.cyberpresse.ca/arts/musique/200906/25/01-878928-la-mort-dune-legende-a-lheure-du-web.php>.

28. M. Bleustein-Blanchet, *La rage de convaincre*, Paris, Robert Laffont, 1970.

quête de moyens pour faire de l'argent, malgré le fait d'avoir envahi une grande partie du monde, a affirmé son cofondateur Biz Stone. Stone, un ancien employé de Google, qui a aidé à mettre sur pied le site de réseautage social, il y a deux ans, a annoncé mercredi que le service cherche toujours le modèle d'affaires approprié, même avec plus de 50 millions d'utilisateurs. "Google est un très bon modèle pour nous", a-t-il dit au World Knowledge Forum à Séoul, selon l'agence de nouvelles Yonhap. "Ce qui est plus important pour nous n'est pas de se concentrer sur ça (bénéfices), mais de se concentrer sur la création de valeur pour nos utilisateurs." Stone a affirmé que l'introduction de comptes commerciaux comportant des frais avant la fin de l'année s'inscrit dans la perspective des efforts visant à trouver des moyens de générer des profits[29]. »

D'autres sites de réseautage social se dédient à des usages spécialisés, par exemple les sites de partage tels YouTube pour les vidéos, Flickr et Picasa pour les photos et Last.fm pour la musique. D'autres SNS limitent leur clientèle ; par exemple, l'appartenance à aSmallWorld nécessite l'invitation d'un membre, et celle à BeautifulPeople est conditionnelle au jugement positif d'un certains nombre de membres du sexe opposé quant à la beauté du candidat. Enfin, on voit des SNS cibler leurs membres selon l'origine ethnique ; BlackPlanet, par exemple, s'adresse aux Afro-Américains.

Peu importe, les SNS tissent un réseau entre des gens qui ont quelque chose en commun ; pendant la campagne qui l'a mené jusqu'à la Maison Blanche, le président Obama a rassemblé autour de sa candidature les Américains désireux de voir s'instaurer des changements profonds aux États-Unis. Faisant appel aux outils interactifs du Web 2.0, sites web, blogs, YouTube, Facebook, Twitter, etc., il a galvanisé ses partisans autour d'un message porteur, *Yes we can* (« Oui, nous en sommes capables »), laissant ces derniers le véhiculer au sein de leurs réseaux sociaux : « Le succès de la campagne présidentielle de Barack Obama est en partie attribuable à sa capacité d'utiliser les technologies (c'est-à-dire "le Président Blackberry") et d'exploiter le potentiel du Web 2.0 et des réseaux sociaux en vue de mobiliser des communautés et d'amasser le financement nécessaire au soutien d'une

29. Yahoo News Canada : <http://ca.news.yahoo.com/s/afp/091014/business/skorea_us_it_internet_twitter>.

campagne nationale[30]. » Les réseaux du web n'étant pas par nature limités par la géographie, son message a même dépassé les frontières nationales, créant une vague de sympathie mondiale, comme l'ont démontré les manifestations en sa faveur, à Berlin entre autres.

Le jeu en ligne

Le jeu en ligne tire ses origines de deux sources. La première est le jeu de rôle médiéval *Donjons et Dragons* créé par Gary Gygax et Dave Arneson en 1974 ; joué en personne au sein d'un groupe réuni pour l'occasion, il permet au joueur de créer un personnage imaginaire doté de pouvoirs mythiques, représenté par une figurine, et d'évoluer en groupe dans un monde fabuleux. C'est le fondement même des jeux de rôle en ligne massivement multijoueur (MMORPG, *massively multiplayer online role-playing game*), si populaires aujourd'hui. À peu près au même moment, on voit se développer le jeu multijoueur en ligne sur le système PLATO (*programmed logic for automated teaching operations*) de Control Data ; PLATO est sans doute le premier système permettant l'enseignement à distance. Faisant appel à des terminaux graphiques reliés à un ordinateur central de grande puissance (*mainframe*), il permet de distribuer des contenus de cours interactifs à des étudiants, qui peuvent ainsi progresser à leur rythme ; d'abord utilisé en salle de classe dans les instituts Control Data, il est ensuite mis à la disposition de milliers d'étudiants. Par exemple, « le système PLATO installé à l'université de Géorgie distribue plus de 100 000 heures d'enseignement du latin à des *high schools* de l'État, dont plusieurs n'auraient pas pu offrir le cours[31] ». Dès le début des années 1970, plusieurs programmeurs publient des jeux interactifs utilisant le système PLATO ; un des plus populaires est *Empire*, fondé sur la très populaire série *Star Trek*. On trouvera également sur PLATO une version électronique de Donjons et Dragons et *Spasim*, un jeu de tir à la première personne (FPS, *first person shooter*) ; précurseur de *Doom*, ce dernier simule la

30. D. Anderson, « How has Web 2.0 reshaped the presidential campaign in the United States », *Proceedings of the WebSci'09: Society On-Line*, Athène, 18-20 mars 2009 ; <http://journal.webscience.org/124/>.

31. J. C. Worthy, W. C. Norris, *Portrait of a Maverick, Founder of Control Data Corporation*, Cambridge, Ballinger Publishing, 1987, p. 87.

perspective visuelle du personnage incarné par le joueur. De ces influences naîtra le jeu de rôle en ligne massivement multijoueur que l'ont connaît aujourd'hui ; on en compte un si grand nombre qu'il serait fastidieux, et inutile, de les énumérer.

Mentionnons quand même *Doom*, qui a marqué l'univers du jeu en ligne. Lancé en 1993, le joueur s'y voit projeté au centre d'un univers virtuel ; sa perspective n'est plus celle *extérieure* du spectateur, mais celle *intérieure* du participant. L'effet est saisissant ; dans *Doom*, et les autres jeux de type « à la première personne », le joueur se voit entouré de pièges et de menaces. L'autre innovation tient au fait de pouvoir jouer en ligne contre d'autres personnes. Mais c'est *World of Warcraft* (WOW) qui est actuellement le plus populaire. Lancé en 2004 alors qu'un autre jeu, *Everquest* (EQ), est au sommet de sa gloire, il croît rapidement en popularité et dépasse son concurrent ; en avril 2008, WOW détenait plus de 60 % du marché des jeux MMORPG. Comme dans tous les jeux de ce type, le joueur doit créer de toutes pièces un personnage, un avatar, un alter ego en quelque sorte, qui lui permet d'interagir au sein d'une communauté virtuelle. Dans un monde virtuel, l'expression « construire une image de soi » prend un sens littéral, puisque chacun peut façonner son avatar. Dans *World of Warcraft*, ce personnage fictif poursuit les quêtes qui lui sont assignées ; le niveau de difficulté de celles-ci requiert souvent la création de groupes de joueurs renforçant l'aspect social du jeu. L'histoire se déroule dans un monde fabuleux, Azeroth.

Entre le réseau social et le jeu vidéo, il existe un univers virtuel parallèle au monde réel, Second Life, « un monde virtuel 3-D gratuit entièrement imaginé et créé par ses résidants[32] ». Comme dans les jeux MMORPG, on évolue dans Second Life en tant qu'*avatar* dans un monde de rêve. Des organisations ayant pignon sur rue y ont ouvert une place d'affaires ; par exemple, l'université Saint Leo de Floride y a créé un campus pour favoriser l'émergence d'une communauté virtuelle pour les étudiants qui fréquentent son centre d'apprentissage en ligne. L'université Harvard y a même expérimenté un cours auquel votre avatar peut s'inscrire, « CyberOne : Law in the court of public opinion ». La consommation s'est également transportée dans ce monde. Dans Second Life, vous aurez la possibilité de devenir propriétaire d'une

---

32. Site Second Life : <http://secondlife.com/>.

somptueuse résidence et même de posséder une île privée. Vous pouvez tout créer, inventer absolument n'importe quoi, limité seulement par votre imagination et votre créativité. Le système économique intégré de Second Life vous permet ensuite de vendre votre création en dollars « Linden », la monnaie officielle du royaume, que vous pourrez ensuite échanger contre de véritables dollars des États-Unis, à la bourse Linden X, au taux de conversion du jour. Par exemple, le 20 juillet 2009, le dollar américain s'échangeait à un cours moyen de 262,27 dollars Linden. Même s'il est vrai que l'économie de Second Life a atteint 120 millions de dollars au 1er trimestre 2009 selon les chiffres de Linden Lab, ce monde n'est cependant pas attrayant comme modèle d'affaires. Dans un article publié le 7 juillet 2009, on peut lire: « Bien que 750 000 usagers uniques se connectent à Second Life chaque mois, seulement 465 000 d'entre eux dépensent des dollars Linden — et moins de 200 000 d'entre eux dépensent dix dollars ou plus chaque mois[33]. » Ce n'est pas le pactole et d'aucune façon comparable aux revenus générés par d'autres applications du web.

Usages sociaux du web et hyperconsommation

Le commerce du luxe est une progression logique et prévisible de la consommation, mais pas un aboutissement[34]. Qu'est-ce qui vient après le luxe? Que nous réserve la société d'hyperconsommation? Le cours des choses porte à penser que c'est dans le monde virtuel que la consommation connaît sa principale expansion. Lorsqu'on n'arrive plus à satisfaire ses attentes dans le monde réel, on les satisfait dans le monde virtuel, où le temps n'existe plus et où l'immédiateté est poussée au paroxysme.

La consommation est souvent une forme de compensation pour une image de soi négative ou pour une faible estime de soi; ce phénomène vaut également pour le monde virtuel du web. Dans une sorte de convergence entre le jeu vidéo et le cinéma, on a d'abord introduit dans certains jeux des scènes comportant des figurants humains,

33. Site New World Notes: <http://nwn.blogs.com/nwn/2009/07/derezzed.html>.

34. Voir B. Duguay, *Consommation et luxe. La voie de l'excès et de l'illusion*, Montréal, Liber, 2007.

souvent des acteurs dont la carrière est sur le déclin, sans doute pour ajouter à la réalité du monde virtuel. On a par la suite mis en scène au cinéma les personnages fictifs de certains jeux, contribuant encore à rendre ceux-ci plus réels, mais aussi, ne nous le cachons pas, pour générer des revenus additionnels en capitalisant sur la popularité d'un jeu. C'est le cas entre autres de *Wing Commander*, à la fois jeu et film. Aujourd'hui, les mondes virtuels du web sont devenus capables de se substituer, même provisoirement, à la réalité quotidienne. Devant une utilisation exacerbée, presque maladive, d'un jeu en ligne, par exemple, on devine qu'on est en présence d'une forme de compensation pour une réalité insatisfaisante. C'est ce que Kevin Robins appelle une stratégie de substitution d'une réalité à une autre[35]. Il en est ainsi sans doute de ceux qui fréquentent les réseaux sociaux ou les forums, non pas sous un simple pseudonyme destiné à préserver leur anonymat et à protéger certaines données trop confidentielles, mais en se composant un personnage imaginaire dont l'âge, l'apparence, la personnalité, les réalisations et parfois même le sexe diffèrent complètement de la réalité — ce qui est très différent de la création d'un avatar requise dans les jeux. La création du personnage virtuel est un phénomène lié à l'image de soi et à la compensation.

Un autre élément à considérer est l'effet sur la temporalité qu'entraîne la fréquentation des mondes virtuels, la perte de la notion de temps, un phénomène analogue à celui qu'entraîne l'usage de certaines drogues[36]. Il se crée ainsi une accoutumance *psychologique* aux mondes virtuels, surtout lorsqu'on en vient à y être plus heureux que dans le monde réel, qu'on finit, au reste, par négliger.

Sous un tout autre angle, considérons les réseaux sociaux en tant que médias d'information. Soulignons tout d'abord que les contenus que l'on trouve sur les pages personnelles des différents réseaux sociaux sont extrêmement variables quant à leur intérêt. Par exemple, on trouve sur Twitter, sur d'autres SNS également, des commentaires insignifiants

35. K. Robins, « Forces of consumption: from the symbolic to the psychotic », *Media, Culture and Society*, vol. 16, 1994, p. 449-468. Voir également B. Duguay, *Consommation et image de soi. Dis-moi ce que tu achètes…*, Montréal, Liber, 2005.

36. Site du Centre de toxicomanie et de santé mentale: <http://www.camh.net/fr/About_Addiction_Mental_Health/Drug_and_Addiction_Information/lsd_dyk_fr.html>.

tels «J'en ai marre de la pluie» et «Vivement le week-end» d'un quelconque quidam cherchant à tromper son ennui en ennuyant les autres et dont l'âge mental reste à vérifier; sur ces mêmes réseaux, on trouve également des nouvelles inédites telle «La police fouille le bureau du Texas du dernier médecin de Jackson, affirme la DEA [agence américaine chargée de la répression des drogues illicites]», de CNN Breaking News. La chaîne télévisée CNN a assurément diffusé l'information à peu près au même moment. Dans l'heure qui a suivi, plusieurs abonnés de Twitter se sont empressés de rediffuser l'information.

Dans ce cas, le média traditionnel a devancé le réseau social dans l'annonce de la nouvelle, un journaliste ayant peut-être été prévenu de l'action policière ou en ayant été directement témoin. Cependant, les journalistes ne peuvent être partout; qu'à cela ne tienne, des dizaines de millions de journalistes en puissance sillonnent désormais la planète avec des *smartphones*. Ce sont parfois eux qui diffusent la nouvelle en premier, comme ce fut le cas récemment lors du décès de Michael Jackson et des élections en Iran: «Les médias sociaux et le contenu produit par leurs usagers ont acquis une légitimité dans les derniers mois, les gens se tournant vers Twitter et YouTube de Google pour des informations de dernière minute au sujet d'événements majeurs[37]... »

Le 21 juillet 2009, le premier ministre britannique Gordon Brown affirmait même que les blogs et les autres technologies du web social avaient apporté des modifications profondes dans la politique étrangère: «Le pouvoir de la technologie — tels les blogs — signifie que le monde ne peut plus être géré par des "élites", a déclaré M. Brown. Les politiques doivent plutôt être formulées en écoutant l'opinion des gens "qui bloguent et communiquent avec d'autres personnes autour du monde", a-t-il dit[38].» Le premier ministre poursuit en évoquant le pouvoir unificateur de la technologie en vue de créer une «société globale» et de trouver une solution planétaire à des problèmes communs, tel celui des changements climatiques. Il souligne avec raison que les communications numériques, tels les réseaux sociaux, permettent à des personnes qui ne se rencontreront jamais de se découvrir des points communs. C'est le rêve d'un monde fraternel uni par la

---

37. Site ABS-CBN News: <http://www.abs-cbnnews.com/technology/07/13/09/do-social-networks-twitter-belong-media>.

38. BBC News: <http://news.bbc.co.uk/2/hi/technology/8161650.stm>.

technologie qui refait surface; sans reprendre les arguments que nous avons fait valoir dans le chapitre précédent pour démontrer l'utopie de cette vision, ajoutons quelques éléments nouveaux à la lumière des technologies discutées dans ce chapitre.

Il est indéniable que Twitter, Facebook, MySpace et d'autres réseaux sociaux contribuent à tisser des liens entre des personnes situées sur des continents différents et à diffuser des informations plus rapidement que les médias traditionnels, en particulier lorsque ceux-ci sont empêchés de le faire par un embargo sur l'information. On a vu des cas où la diffusion de l'information a influé sur l'événement; pensons aux élections de 2009 au Zimbabwe, un exemple que cite Gordon Brown: «Parce que les gens pouvaient prendre des photos avec leur téléphone portable sur ce qui se passait dans les bureaux de scrutin, il était impossible pour [Robert Mugabe] de manipuler l'élection comme il aurait aimé le faire.» Cependant, il en va autrement dans d'autres cas. Si les échanges sur les réseaux sociaux ont pu diffuser des images troublantes et des informations sur les manifestations qui ont suivi l'élection en Iran à l'été 2009, que je sache, ils n'ont jusqu'à présent rien changé dans la position du gouvernement iranien, car, sur le plan international, ce dernier détient un pouvoir que ne détenait pas le gouvernement du Zimbabwe. Le pouvoir collectif planétaire n'est donc pas absolu.

En outre, les communautés des réseaux sociaux ne sont d'aucune façon représentatives de l'ensemble des populations du globe. De petits groupes d'intérêts peuvent y défendre des points de vue qui sont les leurs, mais qui sont loin de faire l'unanimité; en fait, même si leurs positions reçoivent l'aval d'une majorité, les dirigeants nationaux et internationaux élus démocratiquement doivent parfois prendre une décision pour protéger une minorité incapable de faire valoir ses points de vue ou de se défendre, sans qu'une majorité de la population soit en accord avec cette décision. Le président Obama ne propose-t-il pas d'instaurer un système de santé universel, alors qu'une majorité de la population américaine s'y oppose? Un dirigeant doit être le leader du groupe qu'il représente et mettre en avant des idées novatrices sans attendre qu'elles fassent l'unanimité; cela est vrai pour une entreprise, une ville, une province, un pays ou un organisme supranational.

N'oublions pas non plus que les réseaux sociaux colportent chaque jour des rumeurs: des fabulations, des exagérations, des informations déformées ou carrément erronées, voire même des conseils dangereux. Ainsi, on a vu circuler dans plusieurs pays la suggestion d'organiser une fête dans le but de s'exposer à la grippe H1N1 pendant que celle-ci était toujours relativement bénigne afin de développer une immunité contre une version peut-être plus grave qui frappera bientôt le monde si l'on en croit les experts. Dans plusieurs médias et sur les réseaux SNS, on citait des cas de personnes qui s'étaient adonnées à cette pratique et même des médecins qui la recommandaient; tout cela était faux. Les autorités de la santé des pays concernés se sont empressées de démentir ces rumeurs. Il circule même sur internet une rumeurs selon laquelle la grippe H1N1 serait un complot impliquant soit l'industrie pharmaceutique, soit les gouvernements de certains pays; dans certains cas extrêmes, on avance que la vaccination prévue aurait pour objectif de réduire la population de la terre[39]. Cette problématique est inhérente au Web 2.0, la sagesse populaire allant de pair avec un brin de folie[40]. Comme vous pouvez le constater, l'avènement des réseaux sociaux n'est pas sur le point de régler tous les problèmes de l'humanité — ils n'en demeurent pas moins très utiles.

On peut finalement être inquiet face à l'engouement de plusieurs pour les nouvelles technologies, qui ont provoqué une recrudescence de la consommation: «Il s'est vendu 5,2 millions d'iPhones lors du trimestre clos fin juin, soit un bond de 626% en volume. Le groupe vient de lancer l'iPhone 3GS de la troisième génération et a réduit le prix du modèle précédent[41].» Il importe à cet égard de faire preuve de modération. Afin d'exercer un meilleur pouvoir sur nos achats, il est essentiel de comprendre quelles sont nos attentes face à ces technologies et quelles sont celles des vendeurs qui les promeuvent.

---

39. Voir le site AgoraVox: <http://www.agoravox.fr/culture-loisirs/parodie/article/theorie-du-complot-le-h1n1-est-un-55422>; et le forum Yahoo France: <http://fr.messages.news.yahoo.com/Actualit%C3%A9s/Sant%C3%A9/threadview?m=tm&bn=FRN-HL-Grippe-aviaire-et-porcine-HN-et-HN&tid=696&mid=696&tof=5&frt=2>.

40. Blog O'Reilly radar: <http://radar.oreilly.com/archives/2006/01/digging-the-madness-of-crowds.html>.

41. Site Reuters France: <http://fr.reuters.com/article/technologyNews/idFRPAE56K0ZU20090721?sp=true>.

Chapitre 5
Les attentes envers les technologies

Pour mieux rendre compte, de manière générale, du comportement du consommateur, j'ai proposé ailleurs de remplacer la notion de *besoin* par celle d'*attente*[1]. Contrairement au *besoin* réputé, à tort, inné et donc lié uniquement à une personne, l'*attente*, bien que prenant naissance dans l'individu, résulte d'une interrelation intime entre l'objet de l'attente, le produit de consommation, et l'être humain en question ; en outre, la genèse des attentes résulte d'influences personnelles (l'image de soi, par exemple), sociales (groupes de référence) et culturelles (publicité dans l'univers de la consommation). D'origine psychosociale, le concept sert à étudier et à comprendre les motivations sous-jacentes à une décision ou à un comportement ; il a donc son utilité dans plusieurs domaines[2].

---

1. Voir B. Duguay, *Consommation et image de soi. Dis-moi ce que tu achètes...*, Montréal, Liber, 2005.

2. Nous l'avons mis à l'épreuve pour expliquer les réactions aux « fusions » municipales imposées par le gouvernement du Québec en 2003. B. Duguay, « Pour comprendre le phénomène des défusions » : <http://monteregieweb.com/main+fr+01_300+Pour_comprendre_le_phenomene_des_defusions.html?ArticleID=352406>. Un chercheur de l'université Laval souhaitait y faire appel pour étudier la dépendance au jeu.

Nous l'utiliserons ici pour brosser un tableau des différentes motivations sous-jacentes à l'achat et à la vente de produits technologiques. J'aurai recours à dix catégories d'attentes. On se représentera cette classification sous une forme circulaire qu'on appellera « anneau des attentes ». Le choix de la forme circulaire n'est ni le fruit du hasard ni attribuable à une préoccupation esthétique ; il souligne le fait qu'a priori aucun type particulier d'attente ne prédomine dans une décision.

Pour illustrer la notion d'attente, voici ce que *pourraient* être les motivations à l'*achat* d'un iPhone 3G (le modèle 2008) : sa facilité d'utilisation (attente fonctionnelle), l'image de marque d'Apple (attente symbolique), l'image d'innovateur que ce produit confère à l'acheteur qui souhaite projeter une telle image de lui-même (attente imaginaire), la vivacité des couleurs affichées à l'écran (attente sensorielle), le prix réduit du modèle 3G par rapport à celui du 3GS (attente financière), la possibilité de se connecter aux réseaux sociaux tels Facebook et Twitter (attente relationnelle), le fait que son écran à cristaux liquides (ACL ou LCD en anglais) ne contienne pas de mercure (attente sociétale), les formes harmonieuses toutes en rondeurs de ce produit (attente esthétique), les spécifications techniques détaillées disponibles sur le site web du produit (attente informationnelle), l'instantanéité des communications sous différentes formes que permet ce produit (attente temporelle). Les attentes sont extrêmement variables tout comme leur poids relatif ; le choix tiendra compte d'attentes issues de plusieurs catégories, peut-être même de toutes, l'influence de chacune étant fonction d'une pondération propre à chaque acheteur et à chaque contexte.

Voyons maintenant quelques-unes des attentes que peuvent avoir à l'égard des produits issus des technologies le consommateur, qui les achète ou les utilise, et le fournisseur, qui les produit ou les vend.

Les attentes fonctionnelles

L'attente *fonctionnelle* vise les caractéristiques du produit et les avantages qui en découlent. Sur ce plan, la foi en la toute-puissance de la science et, au travers d'elle, de la technologie s'est traduite par des exigences sans cesse relancées à l'endroit des produits technologiques. Ainsi, au début des années 1980, le processeur Intel 80286, qui équipait tous les ordinateurs personnels (PC) IBM ou compatibles, comptait 134 000 transistors, fonctionnait à une vitesse entre 6 et 12 MHz selon le modèle et pouvait exécuter jusqu'à 2,66 millions d'instructions par seconde. Soyez assurés qu'on pouvait réaliser un travail très utile avec un ordinateur équipé de ce processeur, y compris des tâches plus complexes et plus lourdes que la simple édition de texte, telle l'analyse statistique à l'aide de la toute première version PC du logiciel SPSS (*statistical package for the social sciences*). À la fin de la décennie, la puissance des processeurs avait déjà augmenté considérablement. Ainsi, le premier modèle du processeur Intel 80486 comptait 1,2 million de transistors, fonctionnait à une vitesse de 25 à 100 MHz et pouvait exécuter jusqu'à soixante-dix millions d'instructions par seconde. Les ordinateurs équipés de ce processeur pouvaient-ils exécuter plus rapidement les travaux courants telles l'édition de texte, la création de feuilles de calcul et la préparation de présentations? Pas vraiment, car la vitesse d'exécution des logiciels permettant d'exécuter ces tâches simples n'est pas surtout fonction de la puissance du processeur, mais de la taille de la mémoire vive et du temps d'accès à celle-ci ainsi qu'au disque sur lequel on enregistre les fichiers. De plus, les versions plus récentes des logiciels étant plus lourdes à exécuter que les précédentes, l'usager ne voyait aucune différence dans le temps d'exécution de ses travaux. Les ordinateurs dotés de processeurs plus puissants étaient cependant très utiles, voire indispensables, pour l'exécution de tâches très lourdes telle la conception assistée par ordinateur. Les attentes des ingénieurs et autres scientifiques à l'égard de la performance des processeurs étaient donc avec raison plus élevées.

Pour l'usager domestique ou même commercial dont l'utilisation de l'informatique se limite aux applications de bureautique, un processeur plus rapide s'avérait inutile pour exécuter les logiciels existants; j'ai pour ma part utilisé un ordinateur équipé d'un processeur Intel 80286 jusqu'en 1994 et pourrais tout aussi bien l'utiliser aujourd'hui pour composer cet ouvrage, à la condition d'utiliser une ancienne version de WordPerfect pour DOS, le logiciel d'édition de texte de référence à l'époque. C'est là que le bât blesse, car l'expérience nous a enseigné que même les usagers dont les besoins sont limités désirent avoir, sinon les technologies les plus performantes, du moins celles qui sont les plus récentes, ce qui n'a rien d'étonnant au demeurant; Maslow ne nous a-t-il pas appris que la satisfaction des besoins (mais cela vaut pour les attentes aussi) est éphémère et que l'être humain désire toujours quelque chose? Nous verrons un peu plus loin quelles sont les attentes qui interviennent dans ce phénomène.

Le moins puissant des ordinateurs que l'on peut acheter aujourd'hui est équipé d'un processeur qui compte au moins cent millions de transistors, fonctionne à une vitesse d'au moins 1,0 GHz (1 000 MHz) et peut exécuter au moins trois mille millions d'instructions par seconde. Qui utilise toute cette puissance? Vous et moi, car les concepteurs de logiciels s'évertuent, année après année, à ajouter des fonctionnalités à leurs produits, même en sachant que l'usager moyen ne les utilise pas toutes — à peine 10% à 20% de celles-ci en fait dans le cas d'un logiciel d'édition de texte. Le fait que Microsoft domine, pour l'instant en tout cas, le marché du système d'exploitation, avec les différentes versions de Windows, et celui des logiciels de bureautique, avec la suite Microsoft Office, ne dispense pas l'entreprise d'avoir à constamment développer ses produits sous peine de se voir déclasser par ses concurrents; la même chose est vraie des fabricants de matériel soumis aux deux impératifs, demeurer compétitif et se différencier, pour continuer à vendre. Reste à stimuler le désir du consommateur pour les nouveautés, ce qui n'est pas très difficile, comme nous venons de le voir.

À strictement parler, ces attentes du fournisseur ne sont pas là de type fonctionnel; visant à vendre davantage, donc à augmenter les revenus, elles sont plutôt à classer parmi les attentes financières. Elles touchent cependant les aspects fonctionnels du produit, et c'est pourquoi je les mentionne ici.

C'est ce qui explique le progrès technologique extrêmement rapide dont nous sommes témoins aujourd'hui. Par exemple, au moment d'écrire ces lignes, le processeur Core i7-965 d'Intel, un des plus puissants pour les ordinateurs fixes (*desktop*), compte 731 millions de transistors, fonctionne à une vitesse pouvant atteindre 3,33 GHz (3 330 MHz) et peut exécuter plus de 76 000 millions d'instructions par seconde. Seuls les adeptes des plus récents jeux vidéo et les utilisateurs d'applications scientifiques lourdes bénéficient de ce surcroît de puissance; ils vous diront même qu'ils en manquent encore un peu. Qu'à cela ne tienne, les fabricants de processeurs centraux et graphiques en proposeront des plus puissants l'année prochaine… une puissance accrue que se dépêcheront d'exploiter les concepteurs de jeux vidéo et d'autres applications nécessitant un ordinateur plus performant. Il est évident que le développement technologique incite à la consommation.

Quelles autres attentes peut avoir le consommateur vis-à-vis les produits technologiques sur le plan fonctionnel ? La facilité d'utilisation est sans doute un des critères les plus importants ; la convivialité de son interface graphique intuitive activée à l'aide d'une souris explique d'ailleurs le succès du Macintosh lors de son lancement par Apple en 1984 ; aujourd'hui, tous les ordinateurs utilisent ce type d'interface. D'autres façons d'interagir aisément avec l'ordinateur ont même été développées au fil des ans. Pour tirer profit de la dextérité humaine, on a d'abord inventé le pavé, puis l'écran tactile ; pour ses appareils iPod et iPhone, Apple a même mis au point une gestuelle sophistiquée faisant appel à un modèle multitouche à l'aide d'un ou de plusieurs doigts. En plus du traditionnel toucher avec un seul doigt à deux reprises pour activer un élément, le système autorise toute une série de gestes pour activer les fonctions de l'appareil. Ainsi, faire rapidement glisser trois doigts sur l'écran du haut vers le bas, ou l'inverse, fait défiler le contenu une page à la fois. Pour agrandir ou réduire la taille d'une page web ou d'une photo, vous utilisez deux doigts que vous rapprochez, fonction zoom avant, ou écartez, fonction zoom arrière ; c'est ce qu'Apple appelle le *pinch / unpinch*. Ces gestes se rapprochent de ceux qu'une personne aurait tendance à faire intuitivement pour activer la fonction en question. Le succès obtenu par Apple, et le fait que cette technologie soit un important facteur de différenciation, ont amené l'entreprise à intégrer certains de ces gestes au pavé tactile de l'ordinateur portable MacBook.

Toujours dans le domaine de la gestuelle, Nintendo a créé pour sa console Wii une télécommande sans fil qui intègre un capteur de mouvement ; le joueur peut donc jouer en utilisant les boutons de contrôle traditionnels ou, dans certains jeux, voir ses gestes reproduits à l'écran avec un réalisme saisissant. Ainsi, dans le jeu *Tiger Woods PGA Tour 10*, « grâce à l'accessoire Wii MotionPlus, votre swing avec la télécommande Wii correspond avec une incroyable précision au swing qui s'affiche à l'écran. Jamais vous n'avez autant maîtrisé la trajectoire de votre balle : avec un léger crochet de gauche ou de droite, évaluez la puissance optimale et réalisez le putt parfait pour rester en dessous du par[3]. » Pour sa prochaine génération de console XBox (projet Natal), Microsoft travaille à une technologie de détection de mouvement

3. Site Nintendo France : <http://www.nintendo.fr/NOE/fr_FR/games/wii/tiger_woods_pga_tour_10_12759.html>.

encore plus révolutionnaire qui élimine la télécommande; faisant appel à des caméras et à un microphone, l'accessoire permet à l'usager de contrôler le jeu par les mouvements de son corps et la voix.

Cela dit, rien de nouveau à l'interface vocale; c'est une fonctionnalité que l'on a introduite depuis belle lurette sur différents appareils technologiques, téléphones portables, assistants personnels numériques et ordinateurs, notamment. Le développement de cette technologie a commencé en 1936 dans les laboratoires Bell d'AT&T; il faut cependant attendre 1982 pour voir la compagnie Covox offrir la fonctionnalité du son numérique sur les ordinateurs Commodore 64, Atari 400/800 et IBM PC. Le succès des premiers produits est mitigé et il faut attendre 1995 pour voir la compagnie Dragon Systems lancer un logiciel de reconnaissance vocale dont le taux d'efficacité est de 95%. Je l'ai moi-même utilisé pour la transcription d'entrevues, ce qui m'a permis de gagner plusieurs journées de travail, le logiciel permettant d'entrer le texte au rythme de 160 mots par minute, soit au moins trois fois plus rapidement qu'avec un clavier. Cette fonctionnalité n'est pas encore une attente du grand public, peu de gens ayant à taper de longs documents; pour l'instant, ils continueront donc de parler «à» leur téléphone portable pour composer les numéros de leurs correspondants et, si l'on en croit Microsoft, pourront bientôt interagir avec leur jeu favori entre autres avec la voix. Une attente de plus sur le plan fonctionnel à laquelle d'autres fabricants devront rapidement répondre.

Ne manquera plus que l'interface neuronale, avec fils pour commencer, puis sans fil, pour faciliter le dialogue homme/machine. Des recherches scientifiques sont en cours depuis les années 1970 dans plusieurs universités; elles commencent à porter fruit. En 2007, la compagnie Emotiv Systems présentait un casque permettant de contrôler un jeu vidéo par la pensée; bien que cette société «concentre actuellement ses efforts sur l'industrie du jeu électronique, les applications de la technologie et de l'interface EPOC d'Emotiv couvrent une variété étonnante d'industries potentielles — la télévision interactive, le design de l'accessibilité, les études de marché, la médecine [entre autres un fauteuil roulant motorisé], et même la sécurité[4]». En juin 2009, Toyota annonçait elle aussi une technologie permettant de contrôler un fauteuil roulant motorisé à l'aide de la pensée. Manifestement, nous ne

4. Site Emotiv: <http://emotiv.com/corporate.html>.

sommes vraiment plus très loin d'une commercialisation à grande échelle de cette technologie; nul doute que les attentes du consommateur quant à la facilité d'utilisation seront modifiées radicalement lorsque celle-ci sera disponible. Les enjeux économiques étant énormes, tous les fabricants devront s'empresser de l'intégrer à leurs produits pour demeurer concurrentiels.

Nous pourrions continuer encore longtemps de parler des attentes fonctionnelles, sur le plan de la polyvalence, de la durabilité et de la sécurité, par exemple, mais les nombreux exemples qui précèdent permettent déjà de bien comprendre en quoi consistent ces attentes.

Les attentes symboliques

L'attente *symbolique* désigne les représentations auxquelles est associé le produit, par exemple le statut social, la richesse, le pouvoir, le succès, l'appartenance à une classe sociale, la mode, un style de vie particulier, l'historicité ou au contraire la modernité, et bien d'autres. « Notre civilisation moderne est consacrée en grande partie au culte de l'illusion[5] », faisant que les symboles dominent même dans les sociétés les plus pauvres[6].

L'acheteur est conditionné par les influences sociales et culturelles, entre autres son réseau de connaissances et la publicité; consciemment ou non, il achète un produit en fonction de l'image de ce dernier avec l'espoir que le symbolisme du produit déteindra un peu sur lui. Autrement dit, si j'achète un produit dont l'image est innovatrice, je projette moi-même l'image d'une personne innovatrice. Puisque nous parlons ici de produits technologiques, il va de soi que les images de modernité et d'innovation sont des symbolismes qui font l'objet d'attentes dans la décision d'achat. Un des fournisseurs qui exploitent le mieux ces aspects

---

5. Commentaire de Sogyal Rinpotché dans O. et D. Föllmi, *Offrandes, 365 pensées de maîtres bouddhistes*, Paris, La Martinière, 2003, page du 7 mai.

6. J'ai sous les yeux deux photos prises dans la région de Bangalore, aux Indes, en octobre 2008. Sur la première, on voit, d'un côté de la rue, un panneau publicitaire qui annonce une magnifique télévision Sony Bravia haute définition comptant deux millions de pixels, dont le prix est sans doute supérieur au salaire annuel d'un travailleur; sur la seconde, de l'autre côté de la rue, on aperçoit un bidonville. Impossible de mieux décrire l'importance capitale qu'occupe ce type d'attente dans la consommation.

est la société Apple. Les Apple Store frappent par le dénuement et la froideur de leur décor: lumière vive, utilisation abondante du verre et de l'aluminium, ameublement réduit aux comptoirs sur lesquels sont alignés les différents produits. Apple a toujours voulu projeter pour ses produits l'image que les acheteurs de la marque ont faite leur, celle d'une personne différente, non conformiste, qui utilise des produits à la fine pointe de la technologie. Le design du produit répond également à cet impératif; par exemple, la coque du portable MacBook Pro est conçue d'une seule pièce en aluminium dépoli.

Pour étudier le symbolisme des produits, rien de mieux que d'observer les communications faites à leur sujet; entrons donc sur le site web d'Apple France. En page d'accueil, on remarque tout d'abord les couleurs vives et une image d'action, une photo d'enfants qui courent affichée sur un iPhone 3GS, dernier-né de la gamme. Sur les pages dédiées à ce produit, on peut lire: «Il [l'iPhone] réunit trois appareils en un seul: un téléphone portable révolutionnaire, un iPod à écran panoramique et un terminal Internet précurseur.» Déjà, dans cette courte phrase, on utilise deux adjectifs renvoyant à la modernité, *révolutionnaire* et *précurseur*; quoique plus subtil, le qualificatif *panoramique* évoque lui aussi l'innovation, puisque seuls les écrans les plus récents offrent un angle de vue plus grand. Une rubrique intitulée «Un téléphone vraiment à part» vient renforcer cette perception d'avant-gardisme: «Avec iPhone, Apple a conjugué des innovations matérielles et le système d'exploitation mobile le plus avancé au monde, pour redéfinir ce qu'un téléphone mobile peut accomplir [...]. De son écran Multi-Touch révolutionnaire à son clavier et ses capteurs intelligents, iPhone a des années d'avance sur tous ses concurrents.»

Une autre page, dédiée au MacBook Pro cette fois, utilise un argumentaire qui abonde dans le même sens: «Pour élaborer quelque chose de véritablement différent, il faut travailler d'une façon véritablement différente. Les designers et ingénieurs Apple collaborent à chaque étape du développement des produits. C'est ce partenariat qui rend possible l'innovation. Et c'est exactement la façon dont le nouveau MacBook Pro a été créé. Avec sa coque *unibody* innovante, ses fonctionnalités inédites et son design respectueux de l'environnement, il marque une révolution dans la façon dont sont fabriqués les portables.» Plusieurs termes, *différent*, *différente*, *innovation*, *nouveau*, *innovante*, *inédites* et *révolution*, soulignent le caractère novateur et exclusif du produit. Il est clair que l'iPhone et le MacBook Pro sont conçus pour répondre à l'attente de modernisme d'un utilisateur qui souhaite être perçu comme quelqu'un de différent et de branché ; une personne chez qui cette attente ne s'est pas encore matérialisée pourra même la développer si d'autres influences personnelles ou sociales l'y incitent.

Jetons maintenant un coup d'œil au site web de produits concurrents, le téléphone mobile Touch Diamond2 d'HTC et l'ordinateur portable ThinkPad de Lenovo. Sur le plan technique, ces deux produits sont tout aussi évolués que l'iPhone et le MacBook Pro ; pourtant les communications faites à leur sujet diffèrent considérablement quant aux attentes qu'elles visent à satisfaire ou susciter. C'est ce qu'on appelle le positionnement ; les entreprises en question ne visant pas le même segment de marché, le même type d'acheteur, elles développent des symbolismes différents. Commençons avec le Touch Diamond2.

C'est le produit présenté à la une de la page d'accueil d'HTC ; déjà, le slogan qui accompagne la photo du produit, « Une belle façon de communiquer », et les couleurs sobres annoncent l'orientation que prendra l'argumentation publicitaire — classe, finesse, sobriété. Celle-ci se précise sur la première des pages dédiées à ce produit : « Fin et élégant, le design de ce touchphone ne manquera pas d'attirer le regard. » On ne se contente pas d'évoquer les symbolismes et de laisser l'acheteur potentiel déduire lui-même que l'image du produit deviendra sienne ; on dit explicitement que l'entourage remarquera l'élégance du produit et, sous-entendu, enviera la classe de son propriétaire. Inutile d'insister sur les innombrables perfectionnements techniques de ce produit, car telles ne sont pas les attentes des acheteurs visés, des professionnels ; en plus du look, on souligne plutôt la simplicité d'utilisation et l'intégration des différentes formes de communication reçues, SMS, mail ou message vocal, au sein d'une arborescence par contact facile à consulter.

Voyons maintenant à quoi rêvent les acheteurs de ThinkPad. La page d'accueil des ordinateurs ThinkPad, la gamme comptant plusieurs séries, est classique, comme celle d'HTC ; cette sobriété et le slogan utilisé pour l'ensemble de la gamme, « L'outil professionnel idéal », annoncent encore cette fois le fait que le produit est destiné à des femmes et des hommes d'affaires. On présente le X300 comme « un portable révolutionnaire ; l'ultraportable sans compromis qui ne se contente pas d'être mince et léger. Ce nouveau venu dans la famille des portables ThinkPad maintes fois primés est le choix idéal pour l'informatique professionnelle mobile. » Les qualificatifs *ultraportable*, *mince*, *léger* et *mobile* permettent de projeter l'image d'un ordinateur facile à transporter partout, une attente que l'on sait présente chez les personnes qui sont fréquemment en déplacement. Évidemment, cela va de pair avec des spécifications techniques *ad hoc*, puisqu'il serait impossible de construire une image d'ordinateur ultraléger dont le poids dépasse 2 kg. L'utilisation du terme *professionnelle* indique que le produit répond plus particulièrement à l'attente du voyageur d'affaires.

Qu'on se le dise, si votre attente est de projeter l'image d'un grand voyageur qui se déplace par affaires aux quatre coins du monde, munissez-vous d'un téléphone mobile Touch Diamond2 et d'un ordinateur portable ThinkPad X300 ; ainsi, même si en réalité votre plus long déplacement se fait dans le RER parisien du Parc de Saint-Maur à la Défense, ou dans le métro montréalais de Montmorency à Square-Victoria, les personnes qui vous verront auront de vous l'image d'un globe-trotter.

Les attentes imaginaires

L'attente *imaginaire* est également liée au désir de voir le produit incarner un symbole, mais un symbolisme dont les racines plongent au plus profond de l'être humain : image et estime de soi, identité et valeur. Chaque jour, de l'enfance à la vieillesse, chacun de nous construit et protège son image ; consciemment ou non, cet impératif affecte nos prises de position et nos décisions, entre autres celles liées à la consommation. Sirgy a énoncé le principe de correspondance entre l'image du produit et l'image de soi, selon lequel on choisit des produits dont l'image permet de maintenir une image de soi à la fois cohérente et positive ; c'est ce qu'il a appelé une « adéquation positive[7] ». Nous avons quant à nous démontré le rôle compensatoire que joue la consommation chez certaines personnes dont l'image de soi est négative, l'estime de soi faible ; c'est ce que nous avons appelé une « inadéquation compensatoire[8] ». Chez les personnes en question, la consommation prend une importance accrue et leurs choix dans ce domaine visent à

---

7. J. Sirgy, « Self-concept in consumer behavior : a critical review », *The Journal of Consumer Research*, vol. 9, juin 1982, p. 287-300.

8. B. Duguay, *Consommation et image de soi*, *op. cit.*

projeter une image plus positive d'elles-mêmes, à rehausser leur estime personnelle. Voyons un peu comment on fait appel aux attentes imaginaires en matière de produits technologiques.

On pourrait croire que la commercialisation d'ordinateurs, de mobiles, de *smartphones* et d'autres gadgets technologiques est moins propice à l'utilisation d'arguments faisant appel aux attentes imaginaires que celle de produits plus intimement liés à l'image de soi, tels les vêtements, les cosmétiques et les parfums; or, il n'en est rien. On trouve des exemples éloquents de cette pratique. Prenons les montres TAG Heuer, un produit de luxe certes, mais avant tout un produit technologique puisqu'elles incorporent les plus récentes technologies pour assurer un fonctionnement automatique perpétuel et une précision légendaire. Le site web de TAG Heuer France accueille les visiteurs avec une photo du champion de Formule 1 Lewis Hamilton accompagnée du slogan *A champion one day remains a champion FOREVER* («Champion un jour, champion à jamais»); ces deux éléments évoquent déjà une image très positive, celle d'un gagnant à l'assurance inébranlable.

Dans l'histoire de la marque, on peut lire: «Que [*sic*] différencie une marque d'une autre? Pourquoi l'offre TAG Heuer englobe-t-elle aujourd'hui des gammes comme celles de la TAG Heuer Formula 1, la Monaco, la Carrera, le Chronographe SLR ou la Grand Carrera? Pourquoi TAG Heuer est-elle la seule marque horlogère à proposer des instruments précis au dixième, au centième, au millième de seconde pour les montres-bracelets, et au dix millième de seconde pour le chronométrage? La réponse est simple: comme pour les êtres humains, tout est une question d'ADN. En effet, cette combinaison unique rend chaque personne différente des autres et implique que dès la naissance, nous sommes doués de certaines caractéristiques héritées de nos parents et de la combinaison de leur ADN. Il en est de même pour les marques. TAG Heuer porte en elle les gènes visionnaires de ses fondateurs, Edouard Heuer et ses fils Jules-Edouard et Charles-Auguste: esprit d'entreprise, innovation, obsession de la précision ultime, et une passion profonde pour les sports de prestige.»

William James a défini le soi comme «la somme de ce qu'il peut appeler sien, non seulement son corps et ses capacités intellectuelles, mais ses vêtements et sa maison, sa femme et ses enfants, ses ancêtres et ses amis, sa réputation et ses travaux, ses terres et ses chevaux, et son yacht et son compte de banque[9] ». Une montre TAG Heuer peut donc être un élément du soi. Par ailleurs, quoi de plus intime que l'ADN d'une personne ; de faire appel à cet élément dans l'argumentaire promotionnel permet d'associer encore plus étroitement le produit à l'image de soi. En outre, les mots et expressions *visionnaires, esprit d'entreprise, précision ultime, passion profonde* et *prestige* évoquent l'image très positive de personnes réelles, associée de surcroît aux produits qu'elles ont créés ; il est sous-entendu que l'image positive de ceux-ci se mêle étroitement à celle de son heureux propriétaire.

Dans la présentation du modèle Aquaracer 500M on trouve d'autres éléments susceptibles de susciter l'émergence d'attentes imaginaires ou de répondre à celles déjà présentes. Par exemple, on peut lire *Live to dare — In keeping with the image and spirit of Hollywood superstar Leonardo DiCaprio, a charismatic role model both in real life and on screen, this is a resolutely masculine model, with a strong, sports inspired design* (« Vivez avec audace. Dans l'esprit et à l'image de la superstar hollywoodienne Leonardo DiCaprio, un exemple charismatique aussi bien dans la vie réelle qu'à l'écran, il s'agit d'un modèle [de montre] résolument masculin, au design robuste inspiré du sport »). On projette l'image d'une personne très masculine, audacieuse et sportive ; ainsi, un homme dont l'estime de soi est faible sur le plan de la masculinité pourrait vouloir renforcer cet aspect du soi en achetant la montre en question, une forme de compensation.

Sur une autre page, on trouve la question *How much pressure can you resist?* (« Dans quelle mesure êtes-vous capable de résister à la pression ? »). La question est posée dans la perspective d'une fonctionnalité particulière de la montre en question, le fait qu'elle puisse résister à la pression de l'eau jusqu'à une profondeur de cinq cents mètres. On pourrait débattre longtemps sur l'à-propos de cette caractéristique sur le plan utilitaire ; combien d'acheteurs d'une Aquaracer 500M l'utiliseront à une telle profondeur ? Ce serait inutile, car, de toute évidence, elle ne sert qu'à créer une image forte : par association, la résistance de la montre à la pression de l'eau confère à celui qui la porte une résistance aux tensions quotidiennes, entre autres dans le milieu professionnel.

---

9. W. James, *Psychology (Briefer Course)*, New York, Collier-Macmillan, 1962, p. 190.

Quant à l'intérêt du fabricant, il est de nature financière; les attentes symboliques et imaginaires évoquées dans les communications, pour tous les produits et pour l'entreprise elle-même, permettent de construire pour cette dernière une image forte et notoire, un actif qui se monnaie en centaines de millions, voire en milliards de dollars ou d'euros. Ainsi, en 2000, The Marketing Society évaluait la valeur de la marque Google à plus de 29 milliards de dollars américains et l'entreprise elle-même à plus de 79 milliards, soit un ratio de 37%[10]. Comme on le voit, tant pour l'acheteur que pour le fournisseur, les symbolismes jouent un rôle prépondérant dans la consommation. Quittons maintenant le domaine de la représentation pour celui non moins fascinant de l'hédonisme.

Les attentes sensorielles

L'attente *sensorielle* a pour objet le plaisir de la consommation. En premier lieu, satisfaction d'avoir assouvi l'envie d'un objet, la société de consommation ayant pour principe de base que le bonheur augmente avec la satisfaction de tous les besoins matériels, mais aussi plaisir des sens et des émotions. Voici ce que Lipovetsky écrit au sujet de l'industrie touristique, entre autres de certains parcs à thème: «Nous avons basculé dans une industrie de l'expérience qui se concrétise dans une débauche de simulations, d'artifices hyperspectaculaires, de stimulations sensorielles destinées à faire éprouver aux individus des sensations plus ou moins extraordinaires, à leur faire vivre des moments émotionnels sous contrôle dans des environnements hyperréalistes, stéréotypés et climatisés. Succès des parcs à thème qui traduit la poussée de la marchandisation des loisirs en même temps que des appétits croissants d'évasion et de sensations, de régression et de renouvellement permanent des plaisirs. L'hyperconsommateur est celui qui attend de l'inattendu dans les environnements marchands programmés, qui recherche des univers "fous" ou féériques, des expériences et des spectacles toujours plus hallucinants. Il veut se noyer dans un flux de sensations exceptionnelles, en évoluant dans un espace-temps *fun*, théâtralisé, dépourvu de tout risque et de tout inconfort. Il s'agit d'accéder à une espèce d'état

10. Site Brand Finance: <http://www.brandfinance.com/docs/50_golden_brands_1999_2008.asp>.

magique ou extatique entièrement déconnecté du réel, un état d'euphorie ludique, dont le commencement et la fin, comme au cinéma, sont parfaitement minutés[11].»

Voilà qui décrit on ne peut mieux ce que sont les attentes sensorielles. Si ces dernières sont évidemment présentes dans les différents parcs thématiques, elles sont également inhérentes à l'offre de plusieurs produits technologiques. Par exemple, le tout nouvel iPod shuffle. Sur une page web de ce baladeur, sous la rubrique *Parlons couleurs*, on peut lire: «Avec son boîtier en aluminium anodisé, iPod shuffle est à la fois élégant et solide. Il étend même sa rutilante gamme de couleurs avec le rose, le bleu et le vert qui s'ajoutent au noir et à l'argent. Et pour la première fois, l'édition spéciale iPod shuffle en acier inoxydable poli entre en scène (avec tous les atours d'une rock star). Même le clip iPod shuffle assure. Il s'attache en toute sécurité à votre chemise, veste, survêtement ou sac à dos, transformant iPod shuffle en accessoire de mode hi-tech idéal. Et — oui — il y a encore de la place pour le sur-mesure [une gravure personnalisée] dans la mode[12].» De la taille de la clé qui vous permet d'entrez chez vous, l'iPod shuffle vous permet évidemment d'écouter vos chansons favorites, un plaisir auditif. En outre, c'est un accessoire mode au même titre qu'un bijou, un plaisir visuel; doté d'un clip, il est conçu de façon à être porté avec fierté en évidence, sur un vêtement par exemple. Son design lui permet donc de répondre à la fois aux attentes symboliques et sensorielles.

Considérons maintenant la nouvelle gamme de téléviseurs LEDTV (*light-emitting diode*) offerts par Samsung. Sur le thème Lumière-Environnement-Design, qui reproduit l'acronyme LED, la pub télé nous entraîne dans un univers mystérieux symboliquement issu d'une météorite qui s'écrase sur terre, engendrant des lumières colorées qui circulent au rythme d'une musique envoûtante avant de fusionner et de repartir vers les cieux[13]. Le plaisir auditif se conjugue au plaisir visuel pour produire un monde féérique comme celui que décrit Lipovetsky; la présentation que l'on fait du produit met en relief la

11. G. Lipovetsky, *Le bonheur paradoxal*, Paris, Gallimard, 2006, p. 58-59.

12. Site Apple France: <http://www.apple.com/fr/ipodshuffle/features.html>.

13. Site Samsung France: <http://www.samsung.com/fr/ledtv/?pid=fr_home_banner1_led_130509>.

netteté des images, des couleurs, leur réalisme saisissant, la luminosité des blancs. Tout se combine pour incarner le plaisir de visionner une émission ou un film dans le LEDTV.

Le jeu vidéo est un autre produit qui correspond admirablement bien à l'univers enchanté et à l'état magique déconnecté du réel dont parle Lipovetsky. Revenons au jeu *World of Warcraft*. Voici ce qu'on peut lire dans l'introduction de la version classique du jeu: « Quatre années ont passé depuis Warcraft III : Reign of Chaos, et une grande tension couve maintenant à travers le monde ravagé d'Azeroth. Alors que les peuples usés par la guerre commencent à reconstruire leurs royaumes détruits, de nouveaux dangers, anciens et inquiétants, annoncent l'arrivée de nouvelles menaces sur le monde [...]. Les joueurs assument le rôle de héros de Warcraft alors qu'ils explorent ce vaste monde, s'y aventurent et y accomplissent des quêtes [...]. Partant à l'aventure ensemble ou combattant les uns contre les autres dans d'épiques batailles, les joueurs forgeront de nouvelles amitiés, formeront des alliances, et rivaliseront avec leurs ennemis pour le pouvoir et la gloire[14]. »

Ce monde fantaisiste virtuel répond au désir de s'évader du quotidien et d'éprouver des sensations fortes; en outre, le contexte de guerre et de destruction crée des défis pour les joueurs désireux d'apporter une contribution originale à l'histoire. Des personnages aux pouvoirs surnaturels, le chaman qui commande aux éléments, le démoniste capable d'invoquer les puissances du Mal, le druide qui peut se transformer en un animal redoutable, le mage dont le pouvoir magique peut s'exercer à distance, et bien d'autres, des images d'un réalisme saisissant, des musiques ensorcelantes, tout contribue à créer un monde fantasmagorique au sein duquel les sens et les émotions sont constamment stimulés. *World of Warcraft* et d'autres jeux vidéo sont sans contredit une source de plaisirs, une réponse aux attentes sensorielles de personnes qui recherchent des expériences inédites; pas étonnant que ce type de divertissement soit aussi populaire!

---

14. Site World of Warcraft Europe: <http://www.wow-europe.com/fr/info/features/classic.html>.

Les attentes financières

L'attente *financière* est liée à toutes les questions d'ordre économique ; cela inclut le prix de détail, les soldes, les modes de paiement et de financement proposés, les objectifs de revenu et de profit de l'entreprise, le degré de différenciation et positionnement des produits, les ressources financières du consommateur, sa sensibilité au prix et le rapport qualité / prix qu'il recherche. Le prix d'un produit, il faut le rappeler, n'est qu'une perception de valeur qu'a développée le fournisseur pour son produit ; à ce titre, le prix est tout autant fonction de l'image du produit que de considérations économiques, tels le coût de production ou les objectifs de revenu et de profit de l'entreprise.

En particulier dans le domaine des produits technologiques où des méthodes de production robotisées ont abaissé considérablement le coût de fabrication, l'entreprise commercialise le produit au prix qu'elle croit être le plus élevé que le consommateur est prêt à débourser, selon le pays. Par exemple, voulant le mettre à la portée du plus grand nombre possible de jeunes consommateurs, Apple vend l'iPod shuffle d'une capacité de 4 Go moins de 100 unités monétaires du pays, soit 79 dollars américains aux États-Unis, 79 euros en France et 99 dollars canadiens au Canada[15]. En fait, à cause de la force de l'euro, le coût de production étant le même pour tous les pays, Apple réalise un profit plus élevé en France ; qu'à cela ne tienne, le prix est accepté par le consommateur. Il faut dire qu'Apple bénéficie d'une quasi-exclusivité pour ce produit et que les consommateurs désireux d'acheter un iPod shuffle sont moins sensibles au prix. Ceux qui sont plus sensibles au prix et dont les attentes vis-à-vis les caractéristiques du produit sont moins exigeantes, ou dont la préférence pour la marque Apple est moins forte, pourront acheter un appareil d'une capacité de stockage identique, 4 Go, pour moins de la moitié du prix d'un iPod shuffle.

Les fabricants ont donc tout avantage à développer une marque forte et compter sur une base de clients fidèles pour pouvoir vendre leurs produits à un prix un peu plus élevé. Ils doivent en outre constamment perfectionner leurs produits pour conserver leur avantage technologique

---

15. Les prix ont été vérifiés sur les sites web Apple des pays concernés le 4 août 2009.

et pour offrir des caractéristiques exclusives qui leur permettront de différencier leurs produits de ceux des marques concurrentes. Là encore, cette différenciation leur permet souvent de vendre leurs produits plus cher que ceux de leurs concurrents ; cela n'est toutefois pas une règle absolue et la domination est rarement à l'échelle mondiale. Ainsi, dans le marché des *smartphones*, la concurrence des autres marques empêche Apple de hausser le prix de l'iPhone 3GS de façon significative. Par exemple, à l'été 2009, au Canada, avec un abonnement de trois ans, Rogers vend l'iPhone 3GS au même prix que plusieurs modèles HTC et Nokia, soit 199 dollars, alors que le Blackberry Bold, très populaire en Amérique, se détaille 299 dollars. Le marché est différent en France, l'éventail des prix également ; à la même période, Orange vend l'iPhone 3GS 149 euros, alors que le Blackberry Bold se détaille 199 euros, au même prix que l'HTC Touch Pro 2, et que le modèle N97 de Nokia, leader du marché européen, se vend lui 249 euros.

Pour écouler les stocks invendus avant la sortie d'un modèle plus récent, ou continuer à les vendre concurremment avec le nouveau modèle, les fabricants ont souvent recours à des offres promotionnelles, des soldes ; c'est d'ailleurs ce qu'Apple a fait avec l'iPhone 3G à la sortie du modèle 3GS, à l'été 2009. On voit également des soldes importants lors de certaines périodes plus propices à l'achat de produits technologiques, la rentrée scolaire par exemple, ou à une consommation accrue pour tous les produits, Noël par exemple. Cependant, les rabais promotionnels ont tellement été utilisés au cours des quinze ou vingt dernières années que plusieurs consommateurs y sont devenus indifférents. Il faut bien comprendre que, pour conserver son efficacité, faire acheter le consommateur plus rapidement, la promotion doit être d'une durée limitée ; or, les détaillants de produits technologiques, et de bien d'autres produits, ont au contraire habitué le consommateur à des soldes quasi permanents de l'ordre de 30 %, 40 % ou 50 %, parfois même davantage. Pour de nombreux clients, le prix de détail est devenu en quelque sorte un montant suggéré par le fabricant, un « maximum » que l'on doit éviter de payer puisqu'un solde finira par se tenir. L'utilisation abusive des soldes a donc provoqué un effet pervers, l'attente du rabais ; quant aux offres promotionnelles de l'ordre de 10 % ou 15 %, elles sont tout simplement ignorées.

Sauf s'il veut cibler une clientèle bien particulière, le haut de gamme par exemple, le fournisseur de produits technologiques doit maintenant offrir un assortiment de modèles, de celui de base au plus sophistiqué, dans un large éventail de prix; en effet, si certains consommateurs se contentent d'un modèle moins performant au plus bas prix possible, d'autres veulent au contraire un produit doté des caractéristiques les plus récentes tout en acceptant de payer un prix plus élevé. D'ailleurs, un phénomène lié au développement technologique favorise le consommateur : la réduction du prix par unité de capacité ou de puissance. Par exemple, en 2002, le prix d'un module de mémoire DDR d'une capacité de 256 Mo se détaillait à 125 $CAN ; aujourd'hui, on peut acheter un module de mémoire DDR d'une capacité de 1 Go (1024 Mo) pour moins de 40 $CAN. On constate un gain de 400% en capacité et une réduction de 60% du prix, le prix par Mo de mémoire passant de 0,49 $CAN à 0,05 $CAN. La même chose est vraie pour les microprocesseurs, les disques et presque toutes les composantes électroniques. Chaque année, pour un prix donné, le consommateur obtient donc un produit beaucoup plus performant pour le même prix, parfois même pour un prix inférieur. Ce phénomène affecte évidemment les attentes de la clientèle vis-à-vis les produits technologiques.

Quant au fournisseur, c'est pour lui une course pour arriver à fournir un produit de plus en plus performant tout en réduisant son coût de production. L'industrie des produits technologiques se prête mal à la montée du luxe, un phénomène qui touche un grand nombre d'autres industries, celle de l'automobile par exemple. Les entreprises technologiques ont cependant le même appétit démesuré pour une augmentation du *pourcentage* des profits sur les ventes, et ce année après année; dans plusieurs sociétés, cela a notamment pour effet de déplacer les fonctions faisant appel à un personnel spécialisé, tels la production et le service à la clientèle, dans des pays où la main-d'œuvre est sous-payée, au détriment évidemment des employés qui ont souvent construit l'entreprise. Ce phénomène affecte l'économie de plusieurs pays, dont la France et le Canada; c'est une vision à très court terme des affaires qui fait fi des relations avec le personnel, voire même avec la clientèle, dont le service s'en voit souvent dégradé.

Restons dans le domaine des interactions humaines et enchaînons avec les attentes relationnelles.

Les attentes relationnelles

L'attente *relationnelle* a trait aux interactions de l'acheteur, du vendeur ou de l'usager avec des intervenants humains dans le cadre d'une transaction commerciale, de l'utilisation du produit ou du service après-vente, par exemple. Le domaine très particulier des produits technologiques fait que les clients néophytes ont souvent besoin de conseils, au moins lors d'un premier achat; les usagers expérimentés préféreront sans doute parcourir seuls les rayons d'une grande surface spécialisée, voire acheter le produit désiré sur l'un des nombreux sites de vente en ligne, peut-être même sur eBay. Certains acheteurs, novices ou expérimentés, préfèrent s'adresser à une boutique spécialisée, souvent à proximité de leur domicile, en raison du service plus personnalisé qu'ils y reçoivent.

Dans cette catégorie d'attentes, on doit également considérer les interactions personnelles avec d'autres usagers d'un produit ou d'une marque, par exemple les clubs informatiques dans lesquels les nouveaux membres peuvent recevoir des conseils à propos de l'utilisation d'un ordinateur; certains clubs dispensent même des cours à leurs membres et à la communauté, et organisent des activités sociales pour leurs membres. Il existe une «version» électronique de ces clubs, les forums de discussion. Dans le domaine de la technologie, on trouve des forums organisés par une communauté d'usagers ou par les fournisseurs eux-mêmes pour assurer un service technique 24 heures sur 24. Il existe d'innombrables forums dédiés les uns à un sujet, les autres à une cause, d'autres encore à un groupe ethnique et quantité d'autres thèmes; ce sont des lieux d'échange d'idées, de commentaires, d'informations, des lieux de débat aussi, certains nécessitant l'intervention d'un modérateur pour maintenir la discussion dans les limites de la convenance.

Il est évident que tous les usages sociaux de l'internet répondent à des attentes relationnelles, à un désir d'entretenir des relations avec d'autres personnes. Sans revenir sur ces usages, appliquons-nous à identifier les attentes qui leur sont sous-jacentes. Depuis les années 1990, on désigne par l'expression «communauté virtuelle» les pratiques d'interaction en ligne. «L'idée même d'une communauté en ligne (*online community*) avait été introduite, dès 1968, par les chercheurs Licklider et Taylor, deux pionniers d'Internet, dans un texte sur l'ordinateur comme dispositif de communication, texte considéré comme prophétique. Ces auteurs entrevoyaient la constitution de communautés formées de membres isolés géographiquement, mais regroupés autour d'intérêts communs[16]. » C'est un autre chercheur, Howard Rheingold, qui a popularisé la notion de communauté virtuelle. Dans un ouvrage publié en 1993, il décrit admirablement bien les attentes des gens vis-à-vis les usages sociaux du web, ce qu'ils recherchent dans les interactions en ligne: « [Ils et elles] font appel à des mots inscrits sur les écrans pour échanger des plaisanteries; débattre; participer à des digressions philosophiques; faire des affaires; échanger des informations; se soutenir moralement; faire ensemble des projets [...]; tomber amoureux ou flirter; se faire des ami(e)s; les perdre; jouer [...]. Les membres des communautés virtuelles font, sur le Réseau, tout ce qui se fait pour vrai dans la vie; il y a juste le corps physique qui reste derrière soi[17]. »

On ne peut mieux décrire les différentes manifestations du désir humain d'interagir avec ses semblables; les technologies n'ont rien enlevé à ce désir, elles lui ont simplement donné d'autres façons de s'exprimer... non sans quelques effets pervers. Puisque, comme l'a souligné Rheingold, « le corps physique reste derrière soi », il y a désincarnation. Comment? Dans les forums, les *chats*, les wikis, les blogs, les réseaux sociaux, les jeux et toutes les autres activités en ligne, l'humain est représenté, par choix ou par nécessité, par un *avatar* ou un *pseudonyme*.

Le pseudonyme permet à l'usager qui le désire de protéger son identité, voire même de la modifier; ainsi, sous le couvert d'un surnom, celui qui le souhaite peut par exemple changer de sexe ou se rajeunir de vingt ans sans intervention chirurgicale et sans injection de toxine botulique (botox). Ce diminutif est plus qu'un simple nom d'emprunt, c'est une véritable identité personnelle: « Nous pouvons postuler que ce "pseudo" agit comme une forme symbolique et atrophiée du corps physique de l'usager, étant donné qu'il apparaît comme la version purement textuelle de l'avatar, personnage virtuel représentant l'usager dans les espaces d'interaction électronique (ex. The Palace, Ultima

16. S. Proulx, *La révolution internet en question*, Montréal, Québec Amérique, 2004, p. 80.

17. H. Rheingold, *The Virtual Community. Homesteading on the Electronic Frontier*, cité dans S. Proulx, *op. cit.*, p. 81.

Online, Meridian 59, EverQuest...). Ce postulat est étayé par les formes sophistiquées d'enjolivures dont le pseudonyme est l'objet (au moyen du jeu de caractères ASCII), qui renvoient de manière assez flagrante aux pratiques vestimentaires distinctes[18].» Comme l'avatar, le pseudo peut être tout à fait fantaisiste; il correspond à l'image qu'on veut projeter dans l'espace virtuel, comme on construit et défend d'ailleurs son image personnelle dans le monde réel. La personnification virtuelle autorise simplement davantage d'écarts avec l'apparence réelle du corps physique.

Voyons maintenant quels sont les effets pervers de ces pratiques. Dans le chapitre précédent, nous avons évoqué le manque de retenue dont font preuve certaines personnes dans leurs échanges de courrier électronique; dans celui-ci, nous avons souligné la nécessité de faire appel à un modérateur pour éviter les dérapages dans les forums. Un filtrage est également requis dans les blogs et une surveillance est essentielle pour les réseaux sociaux, de crainte de voir ces tribunes véhiculer des contenus déplacés, voir carrément haineux. Pourquoi l'être humain qui saurait tempérer ses propos dans un échange face à face avec un interlocuteur se transforme-t-il en bête féroce dans le monde virtuel? Pourquoi le Dr Jekyll se transforme-t-il en Mr. Hyde sur le web? La réponse semble résider dans la désincarnation, qui favorise, chez certains, la perte de toute retenue. Les conventions sociales et l'éducation ont appris à la plupart d'entre nous à faire preuve de courtoisie et de respect dans nos interrelations personnelles; malheureusement, cela n'est pas une règle absolue et tout le monde a été témoin de scènes disgracieuses à un moment ou un autre. Nous pouvons supposer que les goujats de la vie courante sont également des malappris sur le web. Cependant, il semble que, pour certains, pourtant courtois en personne, la présence physique disparaissant, les règles de savoir-vivre n'ont plus cours sur le web; les pratiques sociales du web déshumanisent en quelque sorte les communications interpersonnelles.

Ces propos vont dans le même sens que ceux de l'archevêque Vincent Nichols, chef de l'Église catholique romaine d'Angleterre et du

---

18. G. Latzko-Toth, «La normalisation des pratiques de *chat*: l'émergence d'un cadre normatif d'usage de l'*Internet Relay Chat*», dans S. Proulx, F. Massit-Folléat et B. Conein (dir.), *Internet, une utopie limitée. Nouvelles régulations, nouvelles solidarités*, Québec, Presses de l'université Laval, 2005, p. 203.

pays de Galles, qui, le 2 août 2009, affirmait que «les sites de réseautage social, les messages texte et les mails minent la vie de la communauté», ajoutant que «MySpace et Facebook mènent les jeunes gens à rechercher des amitiés "transitoires", la quantité devenant plus importante que la qualité[19]». Il précise que «la société est en train de perdre une partie de sa capacité à construire des communautés par le biais de la communication interpersonnelle, à cause d'un recours excessif à des textos et des mails plutôt qu'à des rencontres face à face ou à des conversations téléphoniques [...] que des compétences telle la capacité à percevoir l'humeur d'une personne et son langage corporel sont en baisse, et que l'utilisation exclusive de l'information électronique a un effet "déshumanisant" sur la vie de la communauté». Avouons qu'il n'a pas tort! Restons dans un registre connexe et abordons maintenant la question des attentes sociétales.

Les attentes sociétales

L'attente *sociétale* désigne une vaste plage de préoccupations: préservation de l'environnement, lutte contre la pollution, réduction des gaz à effet de serre, responsabilité sociale des entreprises, équité sociale, et bien d'autres. Faisant l'objet d'interventions presque quotidiennes de divers groupes d'intérêt dont les propos sont fortement médiatisés, plusieurs de ces questions font partie de l'imaginaire collectif d'aujourd'hui; impossible de commercialiser fût-ce un vulgaire papier mouchoir sans certifier que son processus de fabrication fait appel à des procédés respectueux de l'environnement. Le plus souvent, cependant, les attentes sociétales se limitent aux enjeux du moment, ceux qui font les manchettes; en outre, pour le consommateur, elles se réduisent à des mesures indolores pour lui, mais qui lui permettront d'avoir bonne conscience. Cela se transpose évidemment sur les choix des entreprises en cette matière et sur les communications qu'elles font au sujet de leurs produits. Considérons la nouvelle gamme de téléviseurs LEDTV offerts par Samsung, dont nous avons déjà parlé. Sur un fond d'images bucoliques de la nature et une musique douce, on annonce des télévisions respectueuses de l'environnement et 90% recyclables. Sous la rubrique

19. Site BBC News: <http://news.bbc.co.uk/2/hi/uk_news/8180115.stm>.

« Une fabrication 100% propre », on peut lire : « Les nouvelles séries 6, 7 et 8 LEDTV SAMSUNG innovent en plaçant le bien-être des générations futures et le développement durable au centre de sa réflexion. [...] les diodes LED *ne contiennent pas de mercure* et les coloris [du design CrystalGloss] sont obtenus *sans utilisation de peintures ou de sprays*, supprimant ainsi toutes les émissions nocives[20]. »

L'élimination de matériaux toxiques tels le mercure et certaines peintures est certes une excellente mesure, car ils représentent un danger réel pour la santé lors de la fabrication, de l'utilisation et de la disposition des produits qui les contiennent ; le consommateur européen sera sans doute sensible à cette information factuelle, ayant peut-être été davantage sensibilisé à ces questions ; il faut avouer qu'avec entre autres la directive « Déchets d'équipements électriques et électroniques » et le règlement REACH (enregistrement, évaluation, autorisation — et restriction), l'Europe fait office de leader en cette matière. Par contre, l'expression « développement durable » est une formule consacrée, actuellement utilisée de façon excessive pour ajouter une connotation sociétale à n'importe quoi, du tourisme à l'urbanisme en passant par la fabrication de tous les produits imaginables, et j'en passe ; à la mode d'aujourd'hui, donc surutilisée, elle est vide de sens ; sauf pour les inconditionnels, j'allais dire les fadas, de l'environnement, il est peu probable que le « développement durable » soit une préoccupation pour le consommateur type.

Sous la rubrique « Des caractéristiques éco responsables », le fabricant fait valoir l'écran ultra-plat qui permet de réduire « le volume de l'emballage et l'empreinte carbonique résultant du stockage ou du transport ». Comme la mention « développement durable », ce contenu n'est destiné qu'à construire une image positive du produit sur le plan environnemental. On utilise les expressions « éco responsable » et « empreinte carbonique » en particulier en référence au protocole de Kyoto qui vise à réduire les émissions de CO_2 et qui fait fréquemment les manchettes des médias, et pour le respect duquel l'Europe est encore une fois leader. C'est d'ailleurs un argument promotionnel un peu faible, car tous les fabricants de télés à écran plat pourront le faire valoir. Celles-ci permettront cependant aux consommateurs d'avoir

20. Site Samsung France : <http://www.samsung.com/fr/ledtv/?pid=fr_home_banner1_led_130509>.

bonne conscience, convaincus d'avoir contribué à préserver l'environnement en les achetant.

Finalement, la rubrique «Une consommation d'énergie maîtrisée» souligne le fait que la technologie utilisée par Samsung permet de réduire «jusqu'à 70%» la consommation énergétique, une préoccupation que l'on sait être centrale chez le consommateur aujourd'hui, non seulement pour des raisons écologiques, mais avant tout pour des raisons financières, la hausse des coûts de l'énergie. On conclut avec la mention du label Eco Flower, un «certificat européen attribué aux produits présentant un impact réduit sur l'environnement. Consommation, fabrication, durée de vie, les critères d'élection sont nombreux. Ce label vous garantit des caractéristiques qui vous donnent à apprécier le meilleur de la technologie dans le plus grand respect de notre planète.» Encore une fois, cette argumentation ne vise qu'à créer une image favorable du produit sur le plan écologique. Je ne dis pas que les téléviseurs LEDTV de Samsung ne respectent pas l'environnement; je dis simplement que, avec les mêmes caractéristiques, Samsung n'aurait pas fait valoir les mêmes bénéfices il y a quelques années et ne fera pas non plus prioritairement appel au développement durable et au respect de l'environnement pour vendre ses produits dans quelques années, lorsque se sera estompée la popularité de la cause environnementaliste dans l'imaginaire collectif, même si les produits offerts seront encore plus écoresponsables qu'actuellement.

En définitive, qu'est-ce que le consommateur achète, un téléviseur pour agrémenter ses loisirs ou une solution à tous les problèmes de la planète? Pour ce type de produit, l'acheteur recherchera vraisemblablement et prioritairement une image de grande qualité, peut-être aussi le design du produit, celui-ci devant s'intégrer harmonieusement dans un décor intérieur; nous reparlerons du design dans un instant. Les attentes sociétales sont plutôt secondaires. De l'argumentation promotionnelle qui précède, la plupart des gens retiendront l'élimination des substances dangereuses, la durabilité (durée de vie) et l'économie d'énergie, parce que ces aspects les touchent personnellement, le premier sur le plan de la santé, les deux autres sur celui de la finance. Quant aux autres arguments, ils permettent simplement au consommateur de se sentir responsable en achetant un téléviseur LEDTV de Samsung. Ainsi, même si son comportement n'est pas écologiquement irréprochable sous d'autres aspects, par exemple la conduite d'une grosse cylindrée plus polluante, l'heureux propriétaire d'une LEDTV pourra être en paix avec sa conscience sociétale: «Je peux polluer un peu, car j'ai contribué autrement.» C'est un comportement analogue à celui qui consiste à engloutir chaque jour un sac de chips en buvant un Coca-Cola Zéro ou Diète.

Les attentes esthétiques

L'attente *esthétique* est en rapport avec la beauté, une notion fort subjective et soumise, comme l'environnement, aux aléas de la mode. Cela dit, qu'est-ce que la beauté? Umberto Eco associe ce concept et tous ses synonymes — attrait, charme, grâce, et bien d'autres —, à ce qui plaît et, par extension, à ce que nous aimerions posséder[21]. L'esthétisme étant ainsi lié au désir de consommer, c'est une considération importante dans le choix d'un produit par l'acheteur et donc dans la conception de ce produit par le fabricant. On pourrait croire que les produits technologiques sont avant tout des outils et que, à ce titre, ils sont avant tout fonctionnels, leur esthétisme étant de peu d'intérêt; dans les années 1950, cette croyance était, peut-être, fondée, mais elle ne l'est certainement plus maintenant[22].

Depuis le milieu des années 1990, en tout cas, on constate une préoccupation des fabricants de produits technologiques, des ordinateurs entre autres, pour le design. On peut sans doute attribuer ce phénomène à l'arrivée de l'ordinateur personnel dans les résidences. Il me semble bien que c'est Apple qui a fait office de pionnier en la matière. Déjà en 1993, la société présente le Newton, un élégant assistant numérique personnel ou PDA (*personal digital assistant*); que ce produit ait été abandonné seulement quatre ans après son introduction n'a rien à voir avec son esthétisme. Plus tard dans la décennie,

21. U. Eco (dir.), *Histoire de la beauté*, Montréal, Flammarion Québec, 2004, p. 8.

22. À ce sujet, voici une anecdote personnelle. Vers la fin des années 1970, alors que j'étais directeur commercial chez Burroughs Business Machines, un client avait acheté l'ordinateur que je proposais à sa société à la condition qu'il soit repeint de la même couleur que le mobilier — beige si je me rappelle bien. J'ai moi-même acheté les bonbonnes de peinture requises et demandé au service technique de repeindre la machine avant la livraison, ce qui a été fait au plus grand plaisir du client.

Apple lance deux ordinateurs aux formes arrondies offerts dans une panoplie de couleurs vives, l'iMac, un poste fixe, en 1998, et l'iBook, un portable, en 1999. Ceux qui en possédaient affichaient fièrement leur différence face aux ordinateurs de type PC, plus ternes. Même si, pour les ordinateurs Apple, les couleurs vives ont maintenant fait place au blanc et au noir, elles demeurent en usage pour d'autres produits de ce fabricant, et le souci du design y est toujours aussi apparent. Voyons un peu ce qu'il en est aujourd'hui.

Un soin minutieux est apporté à l'apparence des sites web Apple; chose extrêmement rare, même encore aujourd'hui, la société prend grand soin d'uniformiser l'apparence de tous ses sites nationaux, un élément crucial quand il s'agit de construire une image de marque. Ainsi, les pages d'accueil de l'Australie, du Canada, des États-Unis, de la France, des Indes, du Japon et du Royaume-Uni sont rigoureusement identiques, sauf en ce qui concerne la langue d'usage, bien entendu; nous n'avons aucune raison de croire qu'il n'en va pas de même dans tous les autres pays. On y met en vedette l'iPhone 3GS, dont le design est très esthétique et dont l'écran haute résolution rend admirablement bien la beauté des couleurs. Le style de tous les produits suit également une tendance commune: formes arrondies, utilisation abondante de l'aluminium, un matériau dernier cri, et, dans le cas des produits destinés à une clientèle plus jeune, tel l'iPod nano, des couleurs attrayantes. On renforce ensuite la perception esthétique du produit avec une argumentation *ad hoc*. Par exemple, pour le portable MacBook Pro, on peut lire: « Des graphismes NVIDIA hautes performances associés à un superbe écran rétro-éclairé par LED vous offre une expérience visuelle incomparable. » Ainsi, les expressions « superbe écran » et « expérience visuelle incomparable » viennent consolider l'impression de beauté qui émane déjà du produit. Les qualificatifs « des courbes avantageuses » et « beau et intelligent » qu'utilise Apple pour vanter les mérites de l'iPod nanochromatique s'inscrivent dans la même veine. Revenons maintenant à un produit dont nous avons déjà parlé, la LEDTV, de Samsung.

Sous la rubrique « Design Ultra Slim TM », donc enregistré comme marque de commerce, Samsung annonce: « Présentant un encombrement optimisé (*70% plus fin* qu'une TV LCD), votre téléviseur de la nouvelle gamme LED SAMSUNG réussit la prouesse de vous offrir cette qualité d'image avec un écran d'*à peine 3 cm d'épaisseur* avec le *tuner* et la connectique intégrés. L'image vous ravit et, grâce à *son design* CrystalGlossTM, son écrin est à la mesure de vos exigences esthétiques. » Sous la rubrique « Chez vous », on ajoute : « Le téléviseur SAMSUNG LED compte parmi les plus fins du monde. *Son design est d'une élégance rare avec une cohérence esthétique exceptionnelle...* » Finalement, au chapitre de l'installation, qui ne nécessite qu'une vis, une phrase-choc : « Ce n'est pas un téléviseur que vous pendez, c'est une œuvre d'art. » Bref, tout se conjugue pour mettre en évidence la beauté du produit et le rendre désirable : un faible encombrement qui évite de surcharger le living, les marques de commerce protégées, donc exclusives, l'utilisation de mot « écrin », habituellement réservé aux bijoux, l'emploi des expressions « les plus fins du monde », « élégance rare », « cohérence esthétique exceptionnelle » et « œuvre d'art ». Évidemment, l'image vient appuyer ces arguments.

Plusieurs produits technologiques, les lecteurs de musique, les téléphones mobiles, les ordinateurs portables et bien d'autres, sont maintenant des accessoires mode dont raffolent les *fashion-conscious*, les *fashion-victims* en fait, comme le dit Eco, qui achètent les derniers gadgets technologiques « en fonction du modèle de Beauté que proposent les magazines, le cinéma, la télévision, bref les mass media [...] [et] suivent les idéaux de Beauté promus par la société de consommation[23] ». D'autres produits, les téléviseurs certes, mais aussi certains appareils électroménagers tels les réfrigérateurs, autrefois commercialisés davantage pour leur fonctionnalité que pour leur apparence, font maintenant partie de la décoration intérieure. Enfin, on constate depuis plusieurs années une convergence entre plusieurs technologies, l'ordinateur et la télévision par exemple, qui déplace le premier du bureau à la salle de séjour. Tous ces facteurs expliquent la préoccupation pour le design des produits et la pratique visant à susciter de nouvelles attentes esthétiques pour vendre de nouveaux modèles, un peu comme les grands couturiers présentent leurs collections.

Mais l'acheteur n'a pas que des attentes esthétiques, il souhaite également être renseigné, il manifeste des attentes informationnelles.

---

23. U. Eco (dir.), *op. cit.*, p. 418.

Les attentes informationnelles

L'attente *informationnelle* a trait au souci d'avoir accès aux renseignements dont on a besoin, par exemple pour prendre une décision d'achat, installer le produit, l'utiliser, faire appel au service technique, et bien d'autres raisons. À ce titre, on pourra consulter quantité de sources en vue de connaître les caractéristiques du produit, sa composition, ses usages, son mode d'emploi, les dangers inhérents à son utilisation, et j'en passe. Avant l'avènement du web, les choix qui s'offraient au consommateur étaient relativement simples. Avant d'acheter, il allait voir le produit au magasin, écoutait le baratin du vendeur, lisait la brochure publicitaire, consultait le compte rendu d'un média et parlait avec des personnes de son entourage. Pour utiliser le produit, il consultait le manuel d'instructions et, si nécessaire, téléphonait au fabricant ou au détaillant pour recevoir des conseils, sans avoir à d'abord se débattre dans les méandres d'un service téléphonique automatisé à sept niveaux. Il faut également avouer que, avant l'introduction généralisée des microprocesseurs et des circuits imprimés dans presque tous les produits de consommation, l'utilisation d'un produit était habituellement peu complexe. L'arrivée sur le marché de produits issus des technologies et la généralisation de l'utilisation de l'électronique et de la micro-informatique dans les objets d'usage courant ont nécessité un apprentissage qui s'est fait avec facilité pour certains, avec diverses difficultés pour d'autres.

Le web a quant à lui transformé les pratiques liées à la diffusion et à la recherche d'informations ; là encore, l'emploi des nouvelles technologies de l'information s'est révélé inégal, se faisant avec plus ou moins de succès tant chez les acheteurs que chez les vendeurs, tant chez les usagers que chez les fabricants. Considérons d'abord l'individu.

Si le passage de la brochure publicitaire et du manuel d'instructions au site web s'est fait avec une facilité déconcertante, intuitive dirais-je, pour certains, il fut difficile, voire impossible pour d'autres. Voyons ce qu'il en est en France, au Canada et au Québec.

En France, l'enquête concernant la diffusion des technologies de l'information et de la communication dans la société française, réalisée en 2008 par le Crédoc, révèle que « ce sont donc dorénavant presque 27 millions de Français de 18 ans et plus qui sont connectés à Internet à leur domicile. On retiendra [...] que les 12-17 ans sont davantage connectés à Internet que leurs aînés (près de 30 points de différence, 89% contre 58% pour les 18 ans et plus). Au total, ce sont donc 61% des plus de douze ans qui peuvent surfer sur Internet chez eux. L'accès à un ordinateur étant de plus en plus souvent synonyme d'accès à Internet [88%], on retrouve ici, peu ou prou, les inégalités observées pour l'ordinateur, liées à l'âge, au diplôme et aux revenus; Alors que 89% des 12-17 ans peuvent surfer sur Internet à domicile, c'est le cas de 14% seulement des 70 ans et plus; Plus de huit diplômés du supérieur sur dix (82%) accèdent à la Toile depuis leur domicile, contre un non-diplômé sur quatre (27%); 91% des personnes vivant dans un ménage bénéficiant de plus de 3 100€ par mois disposent d'une connexion à Internet à domicile. La proportion tombe à 34% chez ceux touchant moins de 900€[24].»

Au Canada, les données de 2007 de l'enquête sur l'utilisation d'internet révèlent que «près des trois quarts (73%) des Canadiens âgés de 16 ans et plus, soit 19,2 millions, ont utilisé Internet à des fins personnelles au cours des 12 mois ayant précédé l'enquête. [...] Les résultats de l'enquête montrent que la fracture du numérique (ou l'écart dans le taux d'utilisation d'Internet) persistait chez certains groupes de Canadiens, selon le revenu, la scolarité et l'âge. L'enquête a en outre montré que les personnes vivant dans des régions urbaines ont continué d'être plus susceptibles d'avoir utilisé Internet que celles vivant dans des régions rurales ou des petites villes. Seulement 65% des résidents des régions rurales ou des petites villes avaient utilisé Internet, ce qui est bien inférieur à la moyenne nationale, comparativement à un peu plus des trois quarts (76%) des résidents des régions urbaines[25].»

Au Québec, les données de l'enquête NETendances révèlent que, «en 2008, les trois quarts (74,6%) des foyers québécois disposaient d'un branchement à Internet et 61,8% des ménages étaient branchés à Internet haute vitesse». En outre, l'étude démontre l'existence de disparités dans l'utilisation du web: «En 2008, les internautes étaient

---

24. R. Bigot et P. Croutte, *La diffusion des technologies de l'information et de la communication dans la société française*, Paris, Crédoc, novembre 2008, p. 51-54; <http://www.arcep.fr/uploads/tx_gspublication/etude-credoc-2008-101208.pdf>.

25. Site de Statistique Canada: <http://www.statcan.gc.ca/daily-quotidien/080612/dq080612b-fra.htm>.

surtout : des hommes (74,8%) en plus grand nombre que les femmes (68,7%) ; des jeunes de 18-34 ans (91,0%) ; des résidents des grandes agglomérations [...] ; des ménages avec un revenu de 60 000 $ et plus (88,5%) ; des étudiants (96,5%) et des professionnels (90,6%) ; des universitaires (88,1%) ; des personnes vivant en ménage, avec enfants à domicile (88,0%)[26]. »

Bien que la disparité dans la présentation des statistiques complique un peu la comparaison, il est évident que, encore aujourd'hui, en France, au Canada et au Québec, un nombre appréciable de personnes ne sont pas branchées à l'internet ou n'utilisent pas cette façon de communiquer. Un fournisseur qui s'en remet principalement, voire exclusivement, à cette forme de communication pour informer ses clients potentiels et les usagers de ses produits néglige un pourcentage important de sa clientèle, pourcentage qui pourra varier en fonction du produit et donc du marché cible.

Sur le plan de l'information, ce que souhaitent les entreprises, c'est trouver une opinion favorable de leurs produits dans les médias dans le but de les commercialiser plus aisément et d'informer leurs clients sans se donner trop de mal ; ces objectifs se reflètent dans la conception des sites web qu'elles mettent en ligne. Plusieurs de ceux-ci sont conçus dans une perspective de communication à sens unique reposant sur le modèle de communication linéaire de l'émetteur actif vers le récepteur passif, développé à l'origine par Claude Shannon et Warren Wiever en 1949, et dont l'application à la communication de masse est attribuée à Wilbur Schramm en 1960. Pour la plupart, la seule interaction envisagée est la transaction d'achat. On est loin des visées de Berners-Lee, à qui on attribue souvent l'invention de l'internet : « À partir du moment où le Web est devenu accessible au grand public [...], ce sont les entreprises commerciales, les " .com ", qui ont été les plus actives à développer des sites sur le Web. Les dirigeants de ces entreprises ont utilisé ce nouveau média comme outil additionnel puissant pour commercialiser et vendre leurs services aux consommateurs, bref, comme un nouveau canal de distribution. Les premiers sites étaient conçus suivant une logique de diffusion (émetteur-

26. NETendances 2008 : évolution de l'utilisation d'Internet au Québec depuis 1999 (faits saillants), Montréal, Cefrio, p. 2 ; <http://www.cefrio.qc.ca/fichiers/documents/publications/NETendances(depliant).pdf>.

récepteur) et non une logique de réception (récepteur-émetteur) ou d'appropriation dans laquelle le besoin d'interactivité des internautes était pris en compte[27]. » Ajoutons que, malgré l'avènement du Web 2.0 et les efforts de certains acteurs, entre autres Jacob Nielsen, de concevoir les sites web en fonction de l'usage qu'en feront les internautes et de façon à favoriser l'interactivité, une majorité de sites web sont, encore aujourd'hui, conçus selon les principes du web des années 1990.

Quant au service à la clientèle, il a été victime des rationalisations budgétaires destinées à accroître les profits. Après avoir éliminé les réceptionnistes téléphoniques pour les remplacer par des systèmes automatisés dans les années 1990, plusieurs entreprises se sont tournées vers l'*offshoring*, ou sous-traitance à l'étranger, dans les années 2000. Dans les deux cas, on a effectivement économisé, soit en éliminant l'intervenant humain soit en remplaçant un employé hautement qualifié par du personnel payé à un salaire de misère, mal formé et qui a parfois de la difficulté à comprendre ou à parler la langue d'usage de la clientèle, le français ou l'anglais le plus souvent. Mais ce que l'on a gagné à court terme sur le plan financier, on l'a perdu dans la qualité du service à la clientèle et donc dans la satisfaction de cette dernière, ce qui se traduira inévitablement par une baisse de revenu à plus long terme.

De nos jours, quantité d'entreprises se fient à des forums, quelquefois à des *chats*, souvent animés par des bénévoles, la plupart du temps des utilisateurs du produit qui aiment démontrer leur compétence et aider d'autres usagers, souvent qualifiés de *newbies* (nouveaux); soyons honnêtes, on trouve aussi des forums animés par des employés, parfois localisés dans le même pays… mais quelquefois à l'étranger, ce qui soulève les mêmes doutes. Je termine avec une anecdote qui en dira long sur le mauvais usage que l'on fait des sites web et sur la façon cavalière avec laquelle on traite la clientèle. On sait que plusieurs sites web comportent une section dans laquelle on trouve les questions fréquemment posées et pour lesquelles il existe une réponse standard; en anglais, on les désigne FAQ (*frequently asked questions*). Ces contenus on leur utilité. Si après avoir consulté cette rubrique, on n'a toujours pas trouvé réponse à sa question ou à son problème, on suggère quelquefois

27. F. Charest et F. Bédard, *Les racines communicationnelles du Web*, Québec, Presses de l'université du Québec, 2009, p. 107.

d'expédier un mail à un préposé du service technique. J'ai un jour été contraint d'avoir recours à cette ultime ressource. On m'a répondu de consulter la rubrique des questions fréquemment posées! Quelle façon de satisfaire les attentes informationnelles de la clientèle!

Les attentes temporelles

L'attente *temporelle* souligne la place du temps, ou plus exactement de la perception du temps, dans la vie de tous les jours. Voici ce que dit l'*Encyclopædia Britannica* à l'article « Perception du temps ». « Manifestement, la durée est relative aux événements qu'on isole dans les séquences qu'on vit: la durée d'un baiser, d'un repas, d'un voyage. Un intervalle donné peut toujours être divisé en une chaîne séquentielle qui délimite des durées plus brèves, telles les unités habituelles qui fournissent des mesures empiriques du temps: la seconde, le jour, l'année. À vrai dire, l'expérience humaine ne se limite pas simplement à une seule série d'événements, mais à une multiplicité de changements qui se chevauchent. La durée d'une émission de radio, par exemple, peut se combiner avec celle d'un petit-déjeuner, les deux s'insérant au sein de la période plus longue d'un voyage sur l'océan. Les humains semblent incapables de vivre sans une notion du temps[28]. »

La notion de temps est donc relative. Ainsi, le joueur plongé dans le monde fabuleux d'Azeroth (*World of Warcraft*) perd la notion du temps qui s'écoule dans le monde réel, il sous-estime les longues durées; ce phénomène a été étudié par de nombreux chercheurs parmi lesquels Tobin et Grondin[29]. C'est un peu comme si le temps dans l'univers virtuel devenait lui aussi virtuel, laissant ainsi le joueur jouer plus longtemps. Quant au consommateur qui achète un ensemble de cinéma maison et s'engage à le payer au complet dans vingt-quatre mois sans frais d'intérêts, il avance la jouissance de son bien dans le temps et repousse à une date ultérieure l'obligation de le payer; l'éloignement dans le temps de l'échéance financière donne à certains l'illusion de ne

28. Site *Encyclopædia Britannica*: <http://www.britannica.com/EBchecked/topic/596177/time-perception>.

29. S. Tobin et S. Grondin, « Video games and the perception of very long durations by adolescents », *Computers in Human Behavior*, vol. 25, nº 2, mars 2009, p. 554-559.

rien avoir à payer. Le même phénomène se manifeste avec les achats payés à l'aide de cartes de crédit, ce qui contribue sans doute à l'endettement excessif de certains.

En matière de consommation, le temps requis pour la prise de décision peut être extrêmement bref, un achat impulsif, ou au contraire très long, faisant intervenir un processus complexe de comparaison des marques, des modèles, des prix et des détaillants. Le temps requis pour la décision est souvent lié au risque financier, c'est-à-dire au prix d'achat; un article peu coûteux sera souvent l'objet d'un achat impulsif, alors que l'acheteur consacrera plus de temps au choix d'un bien nécessitant un déboursement plus important. Cette règle est évidemment très variable, faisant intervenir des considérations individuelles ou situationnelles, telles la tolérance au risque, l'importance des revenus, la résistance aux pulsions d'achat, l'attitude face à l'innovation, l'urgence de l'achat, et bien d'autres. Voyons les pratiques qui ont cours chez l'acheteur et le vendeur en matière de produits issus des technologies.

La denrée la plus rare dans notre monde moderne est le temps. Le désir d'épargner du temps, de le dominer, voire d'en arrêter le cours, est devenu une obsession; pas étonnant dès lors de voir, pour plusieurs produits technologiques, les argumentaires publicitaires faire valoir l'économie de temps que permet le produit. C'est le cas du téléphone portable qui permet, *a minima*, de communiquer au lieu et au moment de notre choix, voire d'épargner du temps en combinant deux tâches dans un même instant, par exemple faire un appel pendant un déplacement. Les *smartphones* vont un pas plus loin, ajoutant d'autres fonctions permettant d'économiser la précieuse denrée. Sous la rubrique «Gagner en efficacité», voici ce que dit Apple au sujet de l'iPhone: «Que vous soyez au bureau, à l'école ou en train de faire des courses, iPhone vous propose des fonctions et des applications qui vous permettent d'être plus efficace et de gagner du temps[30].» Un peu plus loin, sous le titre «Retenez tout», on ajoute: «Lorsque vous n'avez pas le temps de noter l'idée du siècle ou de rédiger un pense-bête pour le travail, touchez reQall. Dites ou tapez ce que vous voulez retenir et reQall vous enverra un rappel par message vocal ou textuel, messagerie instantanée, courrier électronique ou alarme de calendrier.»

30. Site Apple France: <http://www.apple.com/fr/iphone/apps-for-everything/getting-things-done.html>.

Toutes ces références au temps reflètent bien la recherche de vitesse, voire d'instantanéité, qui caractérise nos sociétés modernes. Au chapitre des attentes, cela se traduit par un désir d'immédiateté, une volonté de voir nos envies être satisfaites immédiatement, le résultat de nos actions et de nos décisions se concrétiser sur-le-champ. C'est ce qui explique que Apple présente ainsi le 3GS: «L'iPhone le plus rapide jamais conçu. La première chose que vous remarquerez à propos d'iPhone 3GS, c'est la vitesse à laquelle vous lancerez des applications. Les pages web s'affichent en une fraction du temps et vous pouvez visualiser les pièces jointes plus rapidement. Des performances améliorées et des graphismes 3D mis à jour vous offrent également une expérience de jeu incroyable. Tout ce que vous faites avec iPhone 3GS est jusqu'à 2 fois plus rapide et réactif qu'avec iPhone 3G[31].»

Poussée à son paroxysme, cette volonté de contrôler le temps peut même viser à l'arrêter, voire à renverser le cours des événements, donc à remonter le temps — ce qu'aucune technologie ne permet encore de faire. Nous allons donc faire appel à un autre type de produits pour illustrer notre propos: le domaine des cosmétiques nous offre de beaux exemples.

Même si les produits de beauté ne sont pas issus des technologies de l'informatique ou des communications, ils n'en font pas moins appel aux plus récentes technologies; on fait reluire à leur sujet la promesse de retarder, voire d'arrêter, même de renverser le vieillissement de la peau, bref de contrôler l'effet du temps. Voici ce que dit Lancôme au sujet de Secret de vie, un produit destiné aux soins du visage: «Insuffler "une nouvelle vie" au cœur de la peau est le rêve des chercheurs des laboratoires Lancôme. C'est un secret mystérieusement caché au plus profond de la mer qui leur a permis de concrétiser ce rêve. À 2500 mètres sous l'Océan Pacifique, s'épanouit une faune merveilleuse, soutenue par un sucre unique, le Sucre Vital™. Associé aux actifs précieux et à l'expertise Lancôme en matière de soins, il constitue l'Extrait de Vie™. Ce concentré actif au cœur de la formule de Secret de Vie est capable d'augmenter de 118% le métabolisme cellulaire pour une action régénératrice optimale. Ce rêve de renaissance de la peau, il n'appartient plus qu'à vous de le vivre. Régénération suprême : réactivée, revitalisée, votre peau est plus douce, plus ferme,

31. *Ibid.*: <http://www.apple.com/fr/iphone/iphone-3gs/>.

visiblement plus jeune. Elle “renaît”[32].» Fruit de découvertes scientifiques (des chercheurs en laboratoire), les effets de ce produit sont donc crédibles; la science et le savoir-faire technologique ont finalement permis de réaliser les promesses de perpétuel rajeunissement de la mythique fontaine de jouvence. À quand le produit qui assure l'immortalité?

Les entreprises ont, elles aussi, des attentes temporelles; elles visent principalement à vendre plus rapidement, d'où les incitations « à acheter maintenant et à payer plus tard». D'ailleurs, la formation de tous les représentants et directeurs commerciaux inclut des techniques visant à conclure la vente en soulignant l'urgence d'acheter dès aujourd'hui sous peine de voir une occasion inespérée filer sous le nez du client. Les soldes promotionnels ont le même objectif, mais ils ont été si surutilisés que leur effet accélérateur sur la vente a été considérablement réduit. Le propre d'une promotion de ce type est d'être temporaire; or, les rabais chez les détaillants sont presque permanents depuis au moins les années 1990. Les soldes de 15% ou 20% ont perdu leur effet incitatif, car le consommateur y est devenu insensible; cela oblige les commerçants à offrir des rabais de plus en plus élevés pour obtenir une accélération de l'achat.

Le rôle des attentes dans la montée de l'hyperconsommation

Les technologies sont maintenant omniprésentes en matière de consommation, de l'ours en peluche parlant à l'iPod shuffle qui nous susurre à l'oreille le titre de la pièce qu'il joue, de la cafetière programmable aux innombrables fonctions à l'automobile qui met beaucoup d'insistance à nous inciter à passer chez notre concessionnaire pour un entretien, et j'en passe. Maslow nous a appris que la satisfaction des désirs est éphémère, que l'être humain convoite toujours quelque chose: «L'être humain n'est jamais satisfait sauf d'une façon relative, une étape à la fois[33].» Il n'est donc pas très difficile de faire

---

32. Site Lancôme France: <http://www.lancome.fr/_fr/_fr/catalog/product_sdv.aspx?prdcode=183011&CategoryCode=AXESkincare^F1_regeneration&vname=name&>.

33. A. H. Maslow, *Motivation and Personality*, New York, Harper & Row, 1954, p. 69.

surgir chez lui un nouveau désir. Même sans aucune sollicitation commerciale, les consommateurs que nous sommes développerions de nouvelles attentes, ne serait-ce que par goût du changement, par envie de posséder quelques chose de mieux ou par jalousie à l'égard de ce que possède notre voisin. De nouvelles attentes naissent donc en permanence, nécessitant la création de nouveaux produits ou la modification de produits existants; comme si ça ne suffisait pas, les entreprises, pour se différencier, accaparer de nouvelles parts de marché et réaliser un profit plus important, poussent encore plus loin le développement de produits de façon à faire naître encore d'autres attentes. Les technologies de l'informatique et de la communication ont favorisé ce processus d'évolution rapide des produits fondé sur l'obsolescence de ces biens.

Sur le plan fonctionnel, les générations technologiques se succèdent à un rythme fou; alors que, dans les années 1970, une technologie avait une espérance de vie de dix-huit à vingt-quatre mois, celle-ci se compte maintenant en semaines; je dis même parfois que lorsqu'un client achète un ordinateur et le sort de sa boîte, celui-ci est déjà désuet; celui qui est sur la chaîne de montage au même moment est déjà plus perfectionné. Cette obsolescence technologique accélérée et la multiplication des caractéristiques pour faire désirer un changement de modèle au client ont un effet accélérateur sur la consommation. Sur les plans symbolique et imaginaire, l'utilisation des communications afin d'associer des symboles aux produits, rendant ceux-ci encore plus désirables, a aussi un effet d'entraînement sur la consommation. Or, dans le monde d'aujourd'hui, où une aura de toute-puissance est attachée à la science et à la technologie, il est aisé d'associer des styles de vie avant-gardistes et des images de soi prestigieuses liés au fait de posséder des produits issus des technologies.

Sur le plan sensoriel, les gens sont aujourd'hui à la recherche de sensations inédites et d'expériences envoûtantes, parfois de mondes irréels au sein desquels se réfugier pour échapper aux réalités de la vie courante; des produits technologiques, entre autres les jeux vidéo, leur procurent les plaisirs recherchés, favorisant ainsi une consommation accrue. Sur le plan financier, la décroissance du prix des nouvelles technologies avec le temps favorise évidemment le consommateur; il faut cependant reconnaître que ce phénomène a été instrumental dans la montée de l'hyperconsommation. Sur le plan relationnel, quantité de produits technologiques, le téléphone cellulaire, les réseaux sociaux et les jeux vidéo, pour ne mentionner que ceux-là, ont été conçus de façon à multiplier les relations entre les gens; pas étonnant qu'ils soient si populaires. Si on oublie les autres effets pervers que ces technologies ont eus, elles ont également créé d'autres formes de consommation.

Sur le plan sociétal, les attentes du consommateur ont eu un effet positif, celui d'entraîner le développement de technologies plus respectueuses de l'environnement. Paradoxalement, ces mêmes technologies si respectueuses de l'environnement entraînent une hausse de la consommation pour remplacer des technologies plus anciennes, contribuant ainsi à une empreinte plus large sur l'écologie, ne serait-ce qu'à cause de la dépense énergétique nécessaire à la production et aux transports des produits issus des nouvelles technologies. Sur le plan esthétique, une préoccupation accrue pour le design a transformé plusieurs produits technologiques en objets décoratifs et en accessoires mode; subordonnés à la mode du moment, ceux-ci sont devenus des biens de grande consommation que le consommateur souhaite changer plus fréquemment. Sur le plan informationnel, on peut dire que les attentes des grandes entreprises ont transformé le web en outil de communication commerciale et de distribution de masse, donc de grande consommation, alors que son inventeur, Tim Berners-Lee, voulait en faire «une force de développement social et de créativité individuelle[34]». Finalement, sur le plan temporel, le phénomène le plus important est sans conteste le désir d'immédiateté qui caractérise les populations des sociétés industrialisées d'aujourd'hui. Nous croyons que de nombreuses technologies, le téléphone portable et l'internet, pour ne mentionner que celles-là, ont habitué les gens à l'instantanéité et à la performance. Graduellement, cette habitude d'agir à l'instant même où se forme l'idée d'action — je pense à téléphoner et je le fais immédiatement sur mon portable, par exemple — s'est étendue à la sphère consommation: les gens veulent désormais voir satisfaites sur-le-champ leurs envies pour toutes sortes de biens et services.

Nous croyons ainsi avoir démontré qu'en répondant aux attentes de la clientèle et en suscitant chez celle-ci d'autres attentes, en

34. T. Berners-Lee et M. Fischetti, *Weaving the Web. The Original Design and Ultimate Destiny of the World Wide Web, by Its Inventor*, San Francisco, Harper, 1999, 4e de couverture; <http://www.w3.org/People/Berners-Lee/Weaving/>.

développant et commercialisant des produits issus des technologies, les fabricants et les vendeurs ont contribué à l'évolution de la société de consommation, qui a pris naissance au début des années 1950, en une société d'hyperconsommation.

Conclusion

Une pub télé diffusée, en langue anglaise, à l'été 2009 par le fabricant d'ordinateurs Dell, nous a frappé. D'abord par son contenu amusant et original, mais surtout par le changement qu'elle laisse présager dans la commercialisation d'ordinateurs portables. Réalisée pour présenter l'Inspiron, un portable offert en cinq couleurs éclatantes en plus du noir et du gris, elle met en scène des ouvriers dans une usine qui ressemble davantage à une fabrique de bonbons qu'à une chaîne de montage d'ordinateurs. Les employés, joyeux et plus occupés à observer qu'à réaliser un travail utile, chantent en chœur la pièce à succès *Lollipop* («sucette», en français), popularisée en 1958 par le quatuor féminin The Chordettes, bien connu à l'époque. La pub se termine sur l'image d'un portable rouge vif emballé dans un papier transparent tortillé aux deux extrémités, telle une friandise.

En outre, pour souligner le côté récréatif de l'Inspiron et sans doute aussi pour conquérir des segments de marché plus jeunes, on trouve sur le site Dell un jeu intitulé «Le temps presse 3 — La confiserie»; l'âge minimum pour s'inscrire étant fixé à seize ans, les adolescents peuvent y participer. À n'en pas douter, ils seront nombreux à le faire, attirés par la possibilité de gagner une des deux vacances ou un des cinq week-ends de ski dans les Rocheuses ou encore un des cinq portables offerts par Dell. On pourra même s'inscrire au concours par l'entremise de Facebook, très populaire auprès des jeunes.

Ajoutons le dévoilement récent par Dell de l'Inspiron Mini Édition Nickelodeon, « une nouvelle gamme d'ordinateurs portables destinés aux enfants conçus en partenariat avec la chaîne de télévision spécialisée Nickelodeon » ; ces portables seront en vente dans les grandes surfaces Wal-Mart et sur les sites de Dell et de Wal-Mart. Le communiqué de presse de l'entreprise assure que ce produit répond aux exigences des mères : « "Les mères ont insisté sur le fait qu'un ordinateur pour leurs enfants devrait satisfaire trois choses", a déclaré Michael Tatelman, vice-président mondial des ventes et du marketing au consommateur chez Dell. "Premièrement, fournir une expérience informatique sécuritaire. Deuxièmement, fournir des contenus éducatifs de qualité supérieure ainsi qu'une expérience de divertissement de classe mondiale. Troisièmement, que sa conception relève d'un partenariat avec des marques de confiance. L'Inspiron Mini Édition Nickelodeon de Dell satisfait à toutes ces exigences avec brio[1]". » Un autre fabricant de jouets, Fisher Price, a également offert et offre encore des « ordinateurs » portables, destinés à des enfants encore plus jeunes, entre autres le Laughtop et le Color Flash dans la série Fun 2 Learn.

Tout ce que nous venons de décrire met en lumière un important changement dans la commercialisation d'ordinateurs portables, qui passent du produit réservé à un usage spécialisé au bien d'usage courant, produit de consommation de masse offert au grand public, un public de plus en plus jeune de surcroît. Ce phénomène se manifeste également pour un grand nombre d'autres produits issus des nouvelles technologies. Pour s'en convaincre, on n'a qu'à évoquer ce cri du cœur d'une fillette de dix ans : « À ma fête d'anniversaire, chaque fille avait un téléphone [LG env2][2]. » Dans son groupe d'amies, la norme est de posséder un *smartphone* modèle env2 de LG.

Déjà en 1990, Ellul écrivait : « La technique apparaît comme le moteur et le fondement de l'économie [...][3]. » Et puisque l'économie repose sur la technique, le développement technologique alimente par conséquent la consommation. Cela dit, rien de mal à une consom-

1. Site Dell États-Unis : <http://content.dell.com/us/en/corp/d/press-releases/2009-08-11-Dell-Inspiron-Mini-Nickelodeon-Edition.aspx>.

2. A. Hull, « Squeaking by on $300,000 », *The Washington Post*, 16 août 2009 ; <http://www.washingtonpost.com/wp-dyn/content/article/2009/08/15/AR2009081502957.html>.

3. J. Ellul, *La technique ou l'enjeu du siècle*, Paris, Economica, 1990, p. 138.

mation réfléchie; la recherche d'un certain confort matériel, loin d'être condamnable, est au contraire bénéfique tant sur le plan personnel que collectif. En consommation, comme en matière de commerce ou d'investissement, ce sont les excès qui sont préjudiciables à l'économie, à l'équilibre des finances personnelles et à une répartition sinon égale, du moins équitable de la richesse et des ressources. Ces excès ne sont toutefois pas attribuables aux technologies elles-mêmes, pas plus qu'à la perspective commerciale dans laquelle se fait le développement technologique. C'est plutôt à l'*individu* qu'il faut imputer les excès et les dérives. L'*individu-consommateur*, qui, habité de valeurs matérielles et individualistes et n'exerçant aucune maîtrise sur ses désirs, dépense sans compter jusqu'à s'endetter au-delà de ses moyens. L'*individu-gestionnaire*, qui, motivé par l'avidité et déterminé à obtenir le bonus faramineux lié à la réalisation des objectifs de profit excessifs, procède à une rationalisation des effectifs, laquelle s'avérera, à long terme, nuisible à l'entreprise et, à court terme, préjudiciable au bien-être des employés et de la société. L'*individu-investisseur*, lui aussi animé de valeurs égoïstes, dont les diktats obligent les entreprises à faire état, année après année, d'une marge de profit toujours plus élevée, et dont les actions engendrent un phénomène de spéculation boursière.

«Là encore, il ne s'agit pas de critiquer le capitalisme ni le système boursier dans son ensemble. Ce mode de financement est nécessaire au fonctionnement et à la croissance des entreprises[4].» Le capitalisme et le développement technologique peuvent exister l'un sans l'autre: «Le capitalisme a existé dans d'autres civilisations dont le développement technique était relativement faible. La technique fit des progrès réguliers du Xe au XVe siècle sans avoir besoin de l'aiguillon particulier du capitalisme[5].» Il est vrai pourtant que la nature du développement technologique actuel et la rapidité avec laquelle il se fait nécessitent une concentration de capitaux dont disposent seulement les États et les grands investisseurs[6]. Le tout à l'État du communisme a démontré ses limites. Le capitalisme s'est révélé la moins mauvaise forme d'organisation économique, même s'il a donné naissance à la société de

---

4. B. Duguay, *Consommation et luxe. La voie de l'excès et de l'illusion*, Montréal, Liber, 2007, p. 51.

5. L. Mumford, *Technique et civilisation*, Paris, Seuil, 1950, p. 35.

6. J. Ellul, *op. cit.*, p. 142.

consommation puis à celle d'hyperconsommation et qu'il est miné par la spéculation. C'est d'ailleurs ce qui fait dire à Robert Rochefort: « La société de consommation est la moins mauvaise des formes de société testées jusqu'à présent[7]. »

Faire reposer le développement humain et technologique sur une organisation économique de type capitaliste n'implique pas fatalement la spéculation. Cette pratique n'est pas inhérente au capitalisme, mais à la cupidité humaine; elle est et a été de tous les âges le fait d'un petit nombre. Elle atteint aujourd'hui des sommets vertigineux; ne créant aucune richesse véritable, elle permet seulement à une poignée d'individus de s'enrichir de façon éhontée jusqu'à détruire le système qui leur a permis d'accumuler leur richesse. La spéculation et la manipulation des marchés, qui ont repris de plus belle après la crise boursière de l'automne 2008, mèneront inévitablement à une autre crise encore plus grave, dont les économies occidentales ne se remettront peut-être pas, si les États n'encadrent pas plus étroitement ces pratiques.

Cela dit, pour demeurer le mode d'organisation économique à privilégier, le capitalisme doit se transformer, devenir plus responsable, être associé à des mesures socialistes imposées par l'État et surtout restreindre la spéculation. Ce nouveau paradigme, on le voit déjà poindre sous la forme d'un capitalisme responsable et de nouvelles valeurs. Pour être bénéfique à l'ensemble de l'humanité, le développement, technologique ou autre, doit reposer sur ce paradigme de *capitalisme responsable*, système socioéconomique fondé sur la *libre pratique* du commerce, des affaires, de l'industrie et de la finance, dans une *perspective de respect* des intérêts de *tous les acteurs en présence*, entre autres le simple citoyen, l'État, les entreprises et les organismes financiers. Issu du monde même qui l'a fait naître, celui des affaires, le capitalisme responsable s'inscrit dans une évolution du capitalisme, du capitalisme *marchand* de Venise au capitalisme de la révolution *industrielle* du dix-neuvième siècle puis au capitalisme *financier* de l'ère moderne[8]. Apprenant de leurs erreurs, les gens d'affaires ne peuvent que souscrire à une vision plus humaine des pratiques commerciales,

---

7. R. Rochefort, *La société des consommateurs*, Paris, Odile Jacob, 1995, p. 12.

8. Pour ces trois formes de capitalisme, voir K. Galbraith, *The Economics of Innocent Fraud*, Boston, Houghton Mifflin, 2004, p. 8.

industrielles et financières ; de plus en plus, ils sont conscients de leurs responsabilités dans la société.

J'en prends pour preuve des organisations telle BSR (Business for Social Responsibility), un « leader mondial de la responsabilité sociale, sociétale et environnementale des entreprises (RSE) depuis 1992 », dont la mission est d'« aider les entreprises à contribuer à créer un monde plus juste et plus durable[9] ». Regroupant plus de deux cent cinquante entreprises, dont certaines figurent parmi les plus importantes de la planète, BSR met son expertise au service de ses membres en fonction d'enjeux majeurs tels le développement économique, l'environnement, la gouvernance, la responsabilité sociétale et les droits de l'homme. Cette vision de la responsabilité sociale des entreprises est également partagée par CBSR (Canadian Business for Social Responsibility), une organisation canadienne mise sur pied en 1995, dont la mission est de changer la façon de faire des affaires ; parmi ces membres, elle compte elle aussi des organisations d'envergure internationale soucieuses de défendre des pratiques d'affaires responsables.

Des patrons de grandes sociétés s'engagent également dans cette voie. Voici par exemple ce que déclarait Nick Hayek, le PDG de l'horloger Swatch, le 21 mars 2009, à la suite d'une baisse du bénéfice de l'entreprise qu'il dirige : « Pour une entreprise cotée en Bourse, qui annonce une chute de bénéfice, réduire de 10 % l'effectif permet de faire remonter le titre. Cela ne marche pas comme cela chez nous. Il n'y aura ni licenciement ni recul des investissements chez Swatch. Nous acceptons d'avoir un rendement amoindri et de ne pas être les chouchous de la Bourse[10]. » Ce refus de jouer le jeu boursier pour plaire aux investisseurs s'inscrit dans une perspective de capitalisme responsable. Bref, l'impératif d'une réforme du capitalisme n'est plus à démontrer.

La société d'hyperconsommation nous a habitués à une stimulation perpétuelle de nos désirs et à une satisfaction immédiate de nos envies. Ces désirs et ces envies nous pouvons, non, nous devons apprendre à les maîtriser. Cette maîtrise doit s'acquérir dès le plus jeune âge, et c'est le rôle des parents de l'enseigner à leur progéniture. Les parents, les adultes sans enfants tout autant, doivent également prêcher

---

9. Site BSR : <http://www.bsr.org/fr/about/index.cfm>.

10. Site *Le Monde* : <http://www.lemonde.fr/cgi-bin/ACHATS/acheter.cgi?offre=ARCHIVES&type_item=ART_ARCH_30J&objet_id=1075146>.

par l'exemple, adopter un mode de *consommation réfléchie*; le fait qu'un article soit en solde ou qu'un nouveau modèle soit mis sur le marché ne sont pas des raisons suffisantes pour acheter un produit. Pour y arriver, nous devons revoir nos valeurs collectives et personnelles, et notre conception du bonheur: « La mutation à venir sera portée par l'invention de nouveaux buts et sens, de nouvelles perspectives et priorités dans l'existence. Lorsque le bonheur sera moins identifié à la satisfaction du plus grand nombre de besoins et au renouvellement sans borne des objets et des loisirs, le cycle de l'hyperconsommation sera clos. Ce changement sociohistorique n'implique ni le renoncement au bien-être matériel, ni la disparition de l'organisation marchande des modes de vie; il suppose un nouveau pluralisme des valeurs, une nouvelle appréciation de la vie cannibalisée par l'ordre de la consommation versatile[11]. »

Le capitalisme, malgré tous ses défauts, a permis l'émergence de l'industrialisation et du développement accéléré de nouvelles technologies. Certes, le progrès technologique a contribué à l'émergence d'une société d'hyperconsommation et de disparités, mais il a également participé à une amélioration sans précédent des conditions de vie pour une majeure partie des populations des pays riches. Reste à corriger les défauts, à étendre la prospérité jusqu'aux confins les plus reculés de la planète. La machine est antisociale, nous disent Mumford et Ellul; leur mise en garde est fondée. En embrassant sans discernement les technologies comme nous l'avons fait, nous avons laissé s'instaurer un système technicien duquel, semble croire Ellul, l'humanité ne peut plus s'échapper: « Ainsi se constitue un monde unitaire et total. Il est parfaitement vain de prétendre soit enrayer cette évolution, soit la prendre en main et l'orienter. Les hommes, confusément, se rendent compte qu'ils sont dans un univers nouveau, inaccoutumé. Et de fait, c'est bien un nouveau milieu pour l'homme. C'est un système qui s'est élaboré comme l'intermédiaire entre la nature et l'homme, mais cet intermédiaire est tellement développé que l'homme a perdu tout contact avec le cadre naturel et qu'il n'a plus de relations qu'avec ce médiateur fait de matière organisée, participant à la fois au monde des vivants et au monde de la matière brute. Enfermé dans son œuvre artificielle, l'homme n'a aucune porte de sortie, il ne

11. G. Lipovetsky, *Le bonheur paradoxal. Essai sur la société d'hyperconsommation*, Paris, Gallimard, 2006, p. 335.

peut la percer pour retrouver son ancien milieu, auquel il est adapté depuis tant de milliers de siècles[12]. »

Contrairement à Ellul, nous croyons qu'il est possible d'orienter le développement technologique; il peut y avoir progrès technologique sans obligatoirement subordonner tous les aspects du développement socioéconomique à l'impératif d'une performance technique et financière la plus élevée possible. C'est également ce que semble croire Mumford: « La machine cependant est un produit de l'ingéniosité et des efforts humains. Aussi, comprendre la machine, ce n'est pas simplement faire un premier pas pour réorienter notre civilisation, c'est aussi trouver un moyen de comprendre la société et de nous comprendre nous-mêmes. Le monde de la technique n'est pas isolé et autonome. Il réagit à des forces et des impulsions qui viennent semble-t-il des points les plus éloignés de l'environnement. Ce fait permet d'espérer en l'évolution qui s'est accomplie dans le domaine de la technique depuis 1870 environ [...]. Peut-on détecter les propriétés caractéristiques de cet ordre naissant, son type, ses perspectives, son angle de polarisation, retirer les résidus troubles laissés par les premières formes de notre technologie? Peut-on distinguer et définir les propriétés spécifiques d'une technique mise au service de la vie — ces propriétés la distinguant moralement, socialement, politiquement, esthétiquement des formes plus grossières qui la précèdent? Tentons-le. L'étude de l'avènement et de l'évolution de la technique moderne est une base pour comprendre et fortifier les changements de valeurs d'aujourd'hui, et la transmutation de la machine permettra peut-être de la maîtriser[13]. »

Il n'en tient qu'à nous d'utiliser les technologies de façon qu'elles profitent à l'humanité ou au contraire soient néfastes à son développement. La technologie de la fusion nucléaire peut être utilisée pour construire des bombes et détruire la planète ou comme source illimitée d'énergie propre pour satisfaire les besoins de toute l'humanité. De même, d'autres technologies, entre autres celles de l'informatique et de la communication, peuvent être mises à profit pour enrichir un petit nombre d'individus et creuser le fossé entre riches et pauvres, ou au contraire pour enrichir la collectivité et réduire les écarts entre les fortunés et les démunis. Soyons cependant conscients du fait que

---

12. J. Ellul, *op. cit.*, p. 389.
13. L. Mumford, *op. cit.*, p. 18.

l'enrichissement individuel demeurera variable, que des écarts persisteront toujours; il en est ainsi depuis des millénaires et c'est tout à fait acceptable. Ce qui importe, c'est de faire que ceux-ci soient tolérables plutôt que scandaleux.

La technologie elle-même peut être très utile pour nous aider à engendrer le changement de paradigme dont nous venons de faire état. Bien qu'ambivalent quant au résultat, positif ou négatif, de leur utilisation, Mumford reconnaît le pouvoir démocratique de ce qu'il appelle les «communications personnelles instantanées à grande distance»: «Elles sont le symbole mécanique de cette coopération mondiale de pensée et de sentiments qui doit prévaloir finalement si notre civilisation tout entière ne tombe pas en ruine. [...] La plus grande conséquence sociale des radiocommunications a été politique: la restauration du contact direct entre le chef et le groupe. Platon définit l'optimum de population d'une cité par le nombre des citoyens qui peuvent entendre la voix d'un seul orateur. Aujourd'hui, ces limites ne désignent pas une cité, mais une civilisation. Partout où les instruments néotechniques sont disponibles et où l'on parle un langage commun, il y a maintenant les éléments d'une unité politique qui se rapproche presque de celle des plus petites cités de l'Attique jadis. Les possibilités en bien ou en mal sont immenses. Le contact personnel secondaire de la voix et de l'image peut accroître l'enrégimentation des masses, d'autant plus que l'occasion, pour les individus, de réagir directement sur leur chef, comme dans une assemblée locale, s'éloigne de plus en plus. À l'heure actuelle, comme pour beaucoup d'autres inventions néotechniques, les dangers de la radio et du cinéma parlant semblent plus grands que leurs avantages[14].»

Certes, les médias de masse instantanés traditionnels que sont la radio, la télévision et le cinéma, auxquels on pourrait ajouter l'internet *dans sa forme d'origine*, se prêtent mieux à la communication d'un à plusieurs, donc à la propagande et aux actions de persuasion des masses, qu'à la rétroaction d'un groupe à un interlocuteur ou aux échanges entre les membres de ce groupe. L'avènement du Web 2.0 a radicalement changé cette prémisse. Les réseaux sociaux sont des outils privilégiés pour véhiculer les opinions de millions de personnes et faire pression sur les États; même si, pour l'instant, ils semblent avoir peu

14. *Ibid.*, p. 219.

d'effet dans les régimes totalitaires, du moins ceux sur lesquels l'opinion publique mondiale et les pressions diplomatiques ont peu d'influence, les démocraties elles sont très sensibles à l'opinion publique.

Outre les exemples que nous avons déjà présentés, en voici un où l'opinion d'un grand nombre, recueillie entre autres sur le site de réseautage social Twitter[15], a compromis la commercialisation d'un produit : « General Motors a fait savoir qu'il avait annulé son projet de véhicule utilitaire sport (VUS) Buick annoncé le 6 août dernier après que des clients potentiels eurent indiqué en personne et en ligne que le modèle n'avait pas les touches de luxe auxquelles on s'attend de cette marque. [...] L'un des internautes a qualifié le VUS de "hideux" et des utilisateurs de Twitter l'ont affublé du surnom de "Vuick", une référence au modèle de VUS Saturn Vue qui avait fourni la base du projet de Buick. "Nous avons tous été frappés par la constance des critiques, a écrit M. Stephens [vice-président de GM]. Cela ne correspondait pas aux caractéristiques de qualité supérieure que les clients en sont venus à attendre de Buick." Il n'a pas commenté les défauts du véhicule. La décision de renoncer au projet de VUS de Buick s'est fondée sur toutes les opinions recueillies en personne, dans des blogues et sur Twitter, a précisé Christopher Barger, un porte-parole de GM[16]. »

Grâce aux outils technologiques du Web 2.0, la communication bidirectionnelle est plus que jamais facilitée entre les chefs d'État et leurs citoyens, les entreprises et leurs clients, les citoyens de continents différents. Faisant fi des fuseaux horaires et des distances, les opinions et les nouvelles se transmettent maintenant comme une traînée de poudre. On a d'ailleurs vu le président Obama exploiter avec brio le potentiel de ces outils pendant la campagne présidentielle qui l'a porté au pouvoir en 2009 ; comme jamais auparavant, les électeurs américains ont eu la possibilité de connaître l'opinion d'un candidat sur l'actualité quotidienne et de lui faire connaître la leur. Les preneurs de décision doivent cependant garder à l'esprit le fait que l'utilisation des sites de réseautage social, bien qu'extrêmement populaire, n'est pas le fait de l'ensemble des populations et que la voix de certaines catégories de personnes n'est

---

15. Twitter comporte une fonction de recherche qui permet de répertorier tous les commentaires formulés sur un sujet donné.

16. Bloomberg, « GM renonce à son "hideux" véhicule utilitaire sport Buick », *La Presse*, 21 août 2009, cahier Affaires, p. 6.

peut-être pas entendue; en outre, les groupes d'intérêts, ayant rapidement reconnu le potentiel de ces technologies, les exploitent pour véhiculer leurs positions… qui ne sont pas nécessairement dans l'intérêt d'une majorité de la population. Tant les entreprises que les chefs d'État doivent donc faire preuve de discernement dans l'utilisation des informations recueillies par le biais des outils du Web 2.0.

En conclusion, gardons à l'esprit que la science et les technologies ne sont pas omnipotentes; elles ne conféreront pas à l'humanité la jeunesse éternelle, encore moins l'immortalité, et ne redéfiniront pas nos valeurs à notre place. Inanimées, elles n'ont en fait aucune valeur; elles s'inscrivent simplement au sein du système de valeurs que nous privilégions. Les outils technologiques peuvent cependant être très utiles à l'humanité, à la condition que nous sachions en diriger le développement et l'utilisation. L'homme est trop souvent mis au service de la machine, ou du moins contraint d'adapter sa vie ou son comportement à celle-ci; c'est plutôt la machine qui doit s'adapter à l'homme et lui être utile.

Table des matières

Éditions Liber
2318, rue Bélanger, Montréal, Québec, H2G 1C8
téléphone : 514-522-3227 ; télécopie : 514-522-2007
site : www.editionsliber.com ; courriel : info@editionsliber.com

Distribution

Canada :
Diffusion Dimedia
539, boulevard Lebeau, Montréal, Québec, H4N 1S2
téléphone : 514-336-3941 ; télécopie : 514-331-3916
courriel : general@dimedia.qc.ca

France et Belgique :
DNM, Diffusion du nouveau monde
30, rue Gay-Lussac, 75005 Paris
téléphone : 01 43 54 49 02 ; télécopie : 01 43 54 39 15
courriel : direction@librairieduquebec.fr

Suisse :
Servidis
5, rue des Chaudronniers, C. P. 3663, CH-1211 Genève 3
téléphone : 022 960-9510 ; télécopie : 022 960-9525
courriel : admin@servidis.ch

Achevé d'imprimer en novembre 2009
sur les presses de Transcontinental Métrolitho
Sherbrooke, Québec